쵸쵸리온

문학동네

JOJO'S BIZARRE ADVENTURE PART 8 JOJOLION 21

First published in Japan in 2011 by SHUEISHA Inc., Tokyo.
Korean translation rights in Republic of Korea arranged by SHUEISHA Inc.
through Shinwon Agency Co., Ltd. and Sakai Agency Inc.
Korean edition, for distribution and sale in Republic of Korea only.

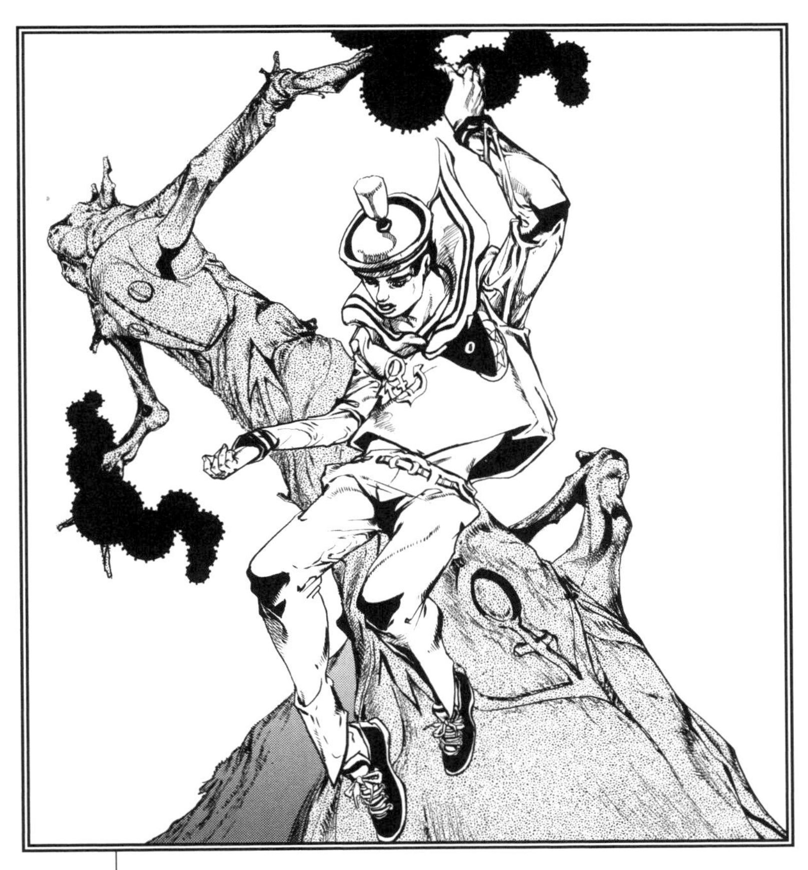

volume

21 더 원더 오브 유

모리오초 인물 소개

히가시카타 죠스케(추정 19세)

벽의 눈'에서 발견된 신원 불명의 청년. 어
깨에 별 모양의 반점이 있다. 히가시카타가
에 거둬져 '죠스케'라는 이름을 얻는다. 죽
은 키라 요시카게의 육체와 일부 융합한 '쿠
죠 죠세후미'였음이 판명됐다. 기억은 아직
돌아오지 않았다.

히로세 야스호(19)

모리오초에 사는 대학생. '벽의
눈'에서 우연히 발견한 죠스케의
신원을 알아내고자 행동을 함께
한다.

쿠죠 죠세후미(19)

어렸을 적 키라의 어머니 홀리가
목숨을 구해준 청년. 홀리를 위
해 로카카카를 훔친다는 키라의
계획에 협력했다.

키라가 죽음의 문턱에서 로카카카를 먹은
결과, 몸의 일부가 죠세후미와 융합

키라家

키라 요시테루

키라 홀리 죠스타(52)

키라 요시카게의 어머니.
TG대 병원에 입원중.

키라 요시카게(29)

어머니의 병을 낫게 하기 위해 로
카카카의 가지를 바위 인간에게서
훔쳤지만, 나중에 그 사실이 발각
되어 살해당했다. 직업은 선의

히지무라 케이(22)

키라 요시카게의 여동생. 히가
시카타가의 비밀을 알아내기
위해 가정부인 척 숨어들었다.

히가시카타家

히가시카타 카토(52)

노리스케의 전처이자 죠빈 남매의 어머니. 살인죄로 15년간 복역했다.

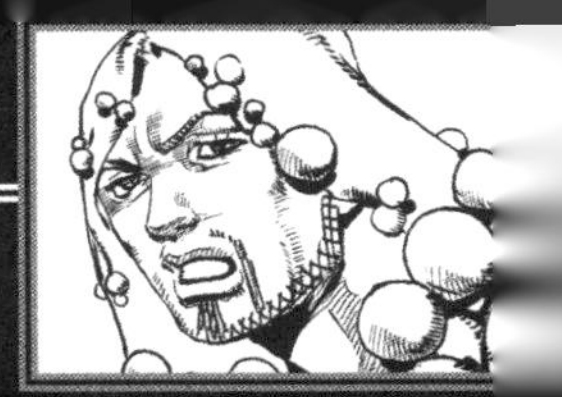

히가시카타가의 가장. 히가시카타 청과의 제4대 점주.

히가시카타 다이야(16)

히가시카타가의 차녀. 죠스케를 좋아한다.

히가시카타 죠슈(18)

히가시카타가의 차남. 야스호의 소꿉친구로 같은 대학에 다닌다. 야스호를 좋아한다.

히가시카타 하토(24)

히가시카타가의 장녀. 모델.

지난 줄거리

히가시카타가 과수원에서 벌어진 '로카카카 가지'를 둘러싼 쟁탈전에서 '가지'를 바꿔친 죠빈, 츠루기 부자가 승리를 손에 넣었다. 그러나 죠스케와 식물감정인 마메즈쿠 라이는 바위 인간 푸어 톰의 동료가 가지를 갖고 간 줄로만 알고 있다.
한편, TG대 병원에 있던 야스호와 미츠바는 푸어 톰의 동료인 바위 인간 우 토모키의 기습을 받게 된다! 죠스케 일행까지 가세해 멋지게 우 토모키를 격파했지만, '가지'의 행방을 놓고 죠스케 일행에게는 먹구름이 드리우는데…?

히가시카타 미츠바(31)

장남 죠빈의 아내.

히가시카타

히가시카타가의
일매일이 여름
처럼 사는 타입.

히가시카타 츠

장남 죠빈과 미츠
들. 액막이를 위해
차림으로 지내고

① 코이비토(연인)곶
② 죠스케 발견 장소
③ 히가시카타가
④ 히로세 야스호의 집
⑤ 키라 요시카게의 맨션
⑥ TG대 병원
⑦ 무츠카베신사
⑧ 명상의 소나무
⑨ 히가시카타 프루트 팔러
⑩ 모리오 스타디움
⑪ 모리오항
⑫ 표범 무늬 열석
⑬ 하세쿠라학원 초등부
히가시카타가의 과수원
융기한 단층 (벽의 눈)
S시
태평양

3
7
6
5
4
역
9
13
산책로
(도랑)
이치오강

차례★
더 원더 오브 유

volume
21

Jojo's bizarre
adventure,part8
JoJolion

#083 새로운 로카카카

녹음이 우거진
S시 모리오초
북서부에 위치하며,
엠블럼은
지혜의 상징
—'**뱀과 검**'.
부지
면적은
65,000
m^2.
TG

1911년 설립된
TG대 병원은
2009년
새로운 건물로
다시
태어났습니다.
현재 하루 평균
외래 환자 수
1,521명,
병상 수 444개.

인도人道와
박애博愛
라는
이념하에
39개의
진료과
와
진료과
■ 내과 초진
■ 혈액내과
■ 정신건강의학
■ 소화기내과
■ 호흡기내과
220여 명의
의사,
1,425명의
간호사 및
직원들이

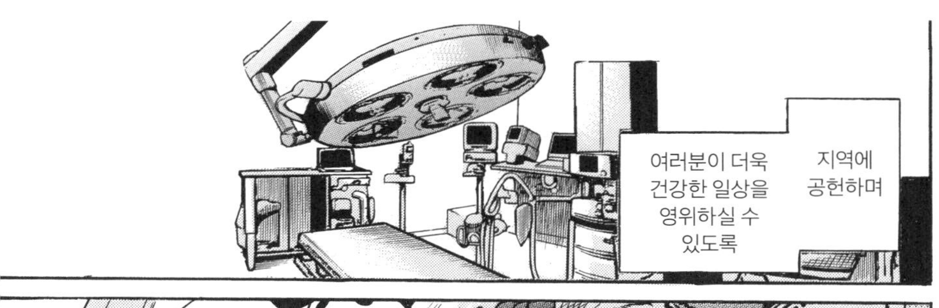
여러분이 더욱 건강한 일상을 영위하실 수 있도록
지역에 공헌하며

최선을 다하겠습니다.
그 밖에도 레스토랑&카페가 세 곳, 편의점이 두 곳 입점해 있고, 우체국에 도서관, 재활 운동을 위한 스포츠센터,
별관에는 온천과 마사지 센터까지.
여기서 살고 싶을 지경 인걸.

음.
미츠바 씨는?
지금 돌아가나 봐…

산부인과 진료실 안쪽
로카카카 연구실의 잠금장치를 해제한 이력이 있는 건 단 “네 명”뿐이야.

DoCToR
우 토모키(33), 정형외과·미용피부과 전문.

사토 료
시모사토 료(38), 내과·소화기내과 질환 전문.

푸어 톰(57), 산부인과 불임 치료 전문.

후 사토
그리고 수수께끼의 인물인 이 병원의 원장(89)이 연구실에 입실한 적 있어.

'어반 게릴라'였군… 이 녀석이! 푸어 톰은 뭐 '푸어 톰'이고.
로카카카를 연구하는… 입실 이력이 있는 건 이 네 명뿐이야.
환자를 제외하면 이 네 명만이 그 방에 출입했어.
그리고 '어반 게릴라' '푸어 톰' '우 토모키' 세 명은 이 세상에 없지.

우 토모키

시모사토 료

푸어 톰

사토루
시모사토 료 (38)의 한자를 다르게 읽으면 게·리·라(下里良).

그나저나 이 '원장'…
아케후 사토루… 얼굴 사진이 없는걸… 어떤 인물이지?
찾고는 있는데…
어째선지 원장의 얼굴 사진은 아무리 검색해도 나오질 않아…

89세!

나이는 의미 없어.
이름도 마찬가지.
어차피 바위 인간이니까.

화재 때 구급차에 타고 있었던 다른 한 명은 이 녀석이야.
이 원장인지 뭔지를 찾자.
신新 로카카카의 '가지'는 이 녀석이 갖고 있어.
마메즈쿠 씨.
'가지'의 위치는 말씀하신 내용과 달라요.
그러니까… '가지'는 히가시카타가 어딘가에 있다고요!

다시 한번
분명히
말해두지만…
이봐…
녀석들은
갖고 있지
않아요…!!
우 토모키는
'가지'를
찾기 위해
미츠바 씨와
날 습격했어요.

너는
기다려야
했어.
'아무것도'
하지 마!
우릴 '기다려'!
…라고 말야.
죠스케가 아까
병원 로비에서
충고했을 텐데.
네가 헤집고
돌아다닌 덕분에
'가지'의 행방을
쫓는 일이 더욱
성가시게 됐다니까.

……

히로세
야스호.
주제넘은
짓은 하지
말라고.

과수원에
'불'을 지른 건
죠빈일지도
모르지.
용의자
얘긴가?
확실히
'죠빈'은 수상해.

'가지'는
히가시카타
가에
있어요!!
아니
래도요!

하지만…
'가지'를 빼앗은 건
녀석이 아니라…
'다른 녀석'이야!
히가시카타
가에는
없어!
화재 덕분에
다들 목숨을
건지긴
했지만
신新 로카카카
'가지'는 나와
죠스케 눈앞에
확실히 있었고!
그걸 빼앗겼어!
'가지'를
분간할 수
있는 건
나뿐이야!
히가시
카타가
라니까!
죠스케…
내 편을
들어줘!
죠스케?
……

"머리핀".
넌 어린 시절 바위 생물의 공격을 받은 적이 있다고 했는데
정말 그 '머리핀'은 실재했나?
?
…? 갑자기 무슨 소리 예요?
네 부모로 인한 스트레스 때문에 착각한 거 아니냐고.
그런 걸 억지로 갖다 붙여 우릴 현혹하지 마.
무슨 얘길 하고 싶은… 건데요.
내 망상 이라는 거예요?!
글쎄…
잘 들어… "시간이 없어".
쓸데없는 짓 하지 마… 말참견도!
'가지'는 앞으로 10일 남짓이면 열매를 맺을 거야!
…이 얘길 하고 싶은 거야!

너랑
미츠바 씨가
이 병원에서
무사했던 건
정말 다행이야.
야스호짱
…
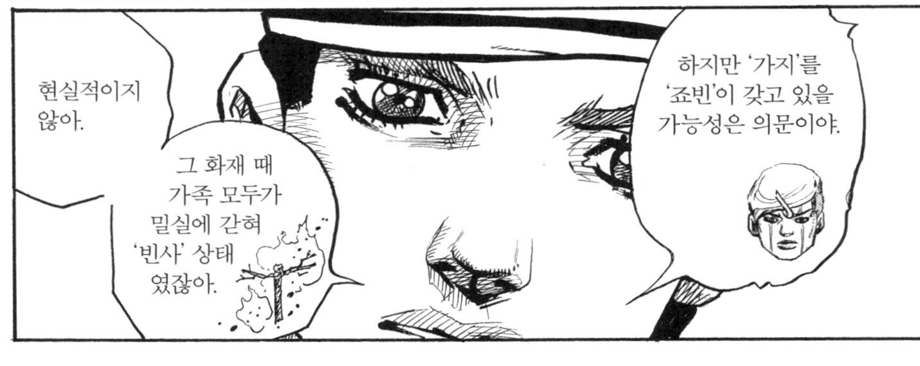
현실적이지
않아.
그 화재 때
가족 모두가
밀실에 갇혀
'빈사' 상태
였잖아.
하지만 '가지'를
'죠빈'이 갖고 있을
가능성은 의문이야.

설령
'죠빈'이
범인
이라
해도
…이 바위
인간과 결탁
했을 거야. 결탁한
상태라면 늦든 빠르든
결국 죠빈에게
도달하게
되어 있어!

지금… 우리가
쫓아야 할 건
이 '수수께끼의
원장'이야.

야스호짱.
이 원장의
얼굴 사진을
찾자.

부우우우웅

오…
어라?!
야스호
짱…
달칵

너희들… 무사히 만났나봐.
다행이네.
핸드폰 고장났다며? 괜찮아?
드르륵드르륵

…토오루 군.

아… 맞다… 아깐 고마웠어.
알바해? … 여기서?
자재 같은 거 반입도 하고… 반출도 하고.

하지만 의대생 이기도 해.

어? 그 뒤에 합격한 거야?
S시 캠퍼스?
난 모리오 캠퍼스… 인문 사회학.

저 녀석…

너랑 어떤 사이야?

사귀는 거야?
응?!
넌 자연스럽게 내 손 위에 네 손을 살포시 얹지. 네 손이…
…내가 너한테 손을 내밀면
내 손을 꼭 잡고 있다고. 알아?
아니… 아냐.
너, 이 손 말야…
어라아 ~~
지금은 그런 얘긴 하고 싶지 않아.
역시 '위'네… 야스호 짱.

'위'야.
엄지손가락도
내 '위'에 있어.
넌 예전이랑
아무것도
변한 게 없구나.

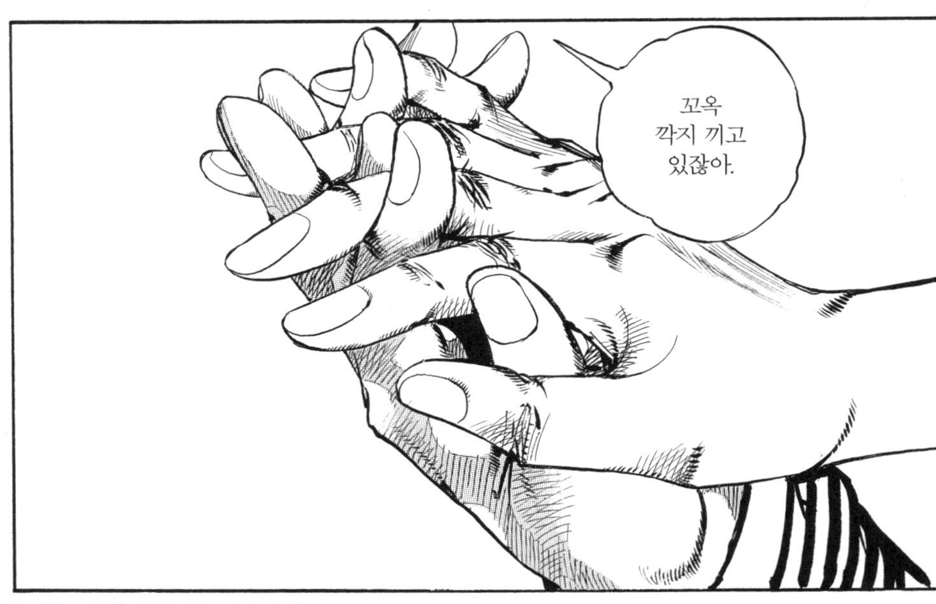
꼬옥
깍지 끼고
있잖아.

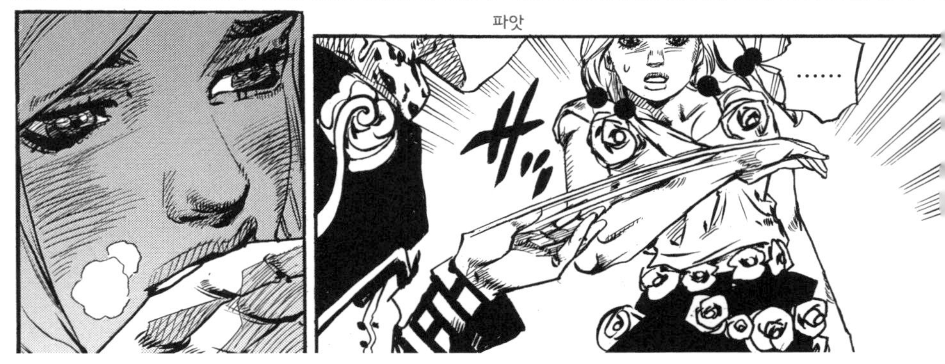
파앗
……

타앙
야스호짱, 얼른 핸드폰 고치기야.
또 만나고 싶어.
……
음, 죠스케.

아까…
그 녀석 인가?
저 녀석 덕분에… 우린 이 병원의 연구실에 도달할 수 있었어.
……
야스호의 옛 지인 이라고 했던가?
'전 남친' …
이라던데.
부우우웅

다시 말해서~~ 같이 잔 사이라는 건가아…?

……!!

…중요한 사안이라고…
…갑자기 나타나선…
일단 정체가 뭔지? 조사해 보자.

하지만 저 녀석이 말을 전해준 덕분에…
'우 토모키'의 공격으로부터 야스호와 미츠바 씨가 목숨을 건진 건 분명해.
P

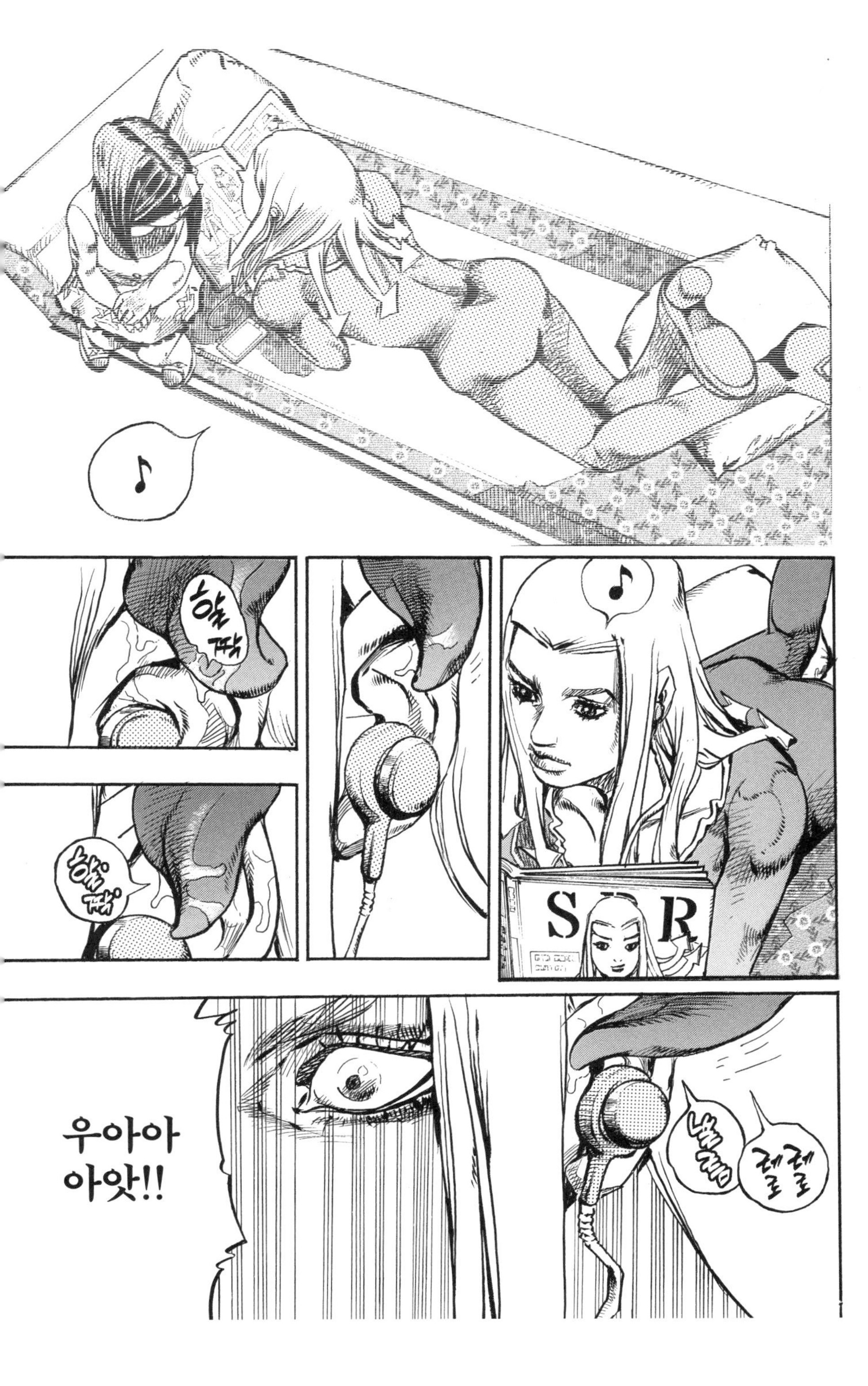
♪
♪
할짝
할짝
S R
낼름
즐즐
우아아 아앗!!

벌떠어억
꺄아아 아아아아 아아
기분 나빠—앗!

너지!! 죠슈!

응?

방금 나한테 무슨 짓 했지?!

뭔 소리셔~~?

분명 너야!
다 알거든!
DNA 채취
해볼 거야!
호에엥?
넌 언젠가
네가 벌인 일
때문에 고발당하고
체포돼서 빚더미에
올라앉아 인생
종 칠 거야!
츠루기
짱.
방에 가서
할아버지 좀
불러올래?
대만
아리산차
끓였어
—

쭁쭁쭁쭁

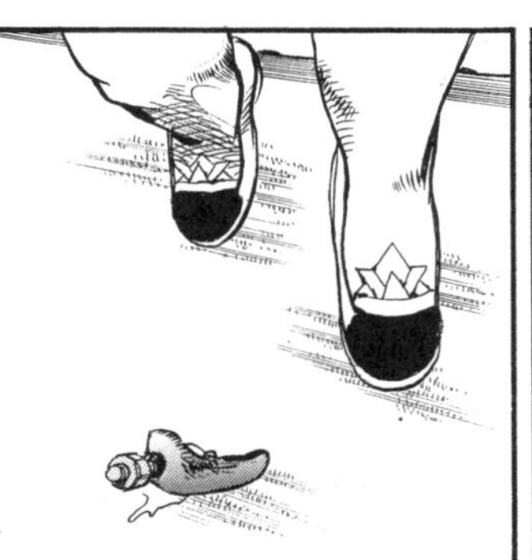

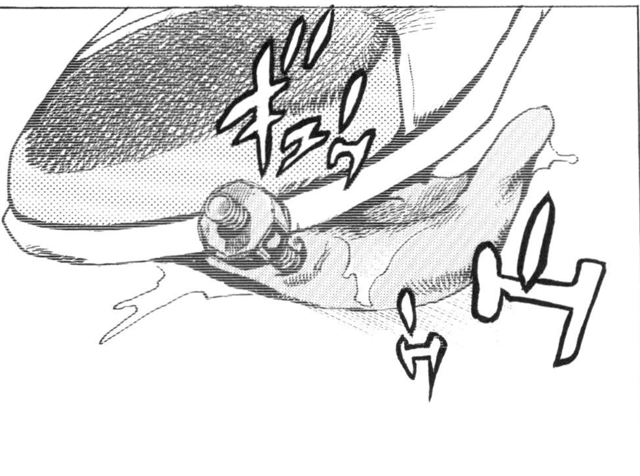

물커어어엉

주룩 주룩주룩
아-앗 아-
아-
끼이이이야아아아아아아
그것은 사람이 저마다 가진 마음의 형태, 그리고 마음의 본연적 상태.
"스탠드 능력"

컨트롤 가능한 마음의 힘.
평소에는 마음속 깊숙이 묻어두며,
속옷을 입어 가리듯이
그 존재를 알아도 결코 표면으로 드러내지 않고
암묵적으로 화제에 올리지 않는다.
함께 사는 가족 간에는 물론이요,

사랑하는 사이라 할지라도.

그러나
때로는 마음이
변하기도 한다.
마음은
스탠드
능력에
종종
피로를
느끼기도
한다.
또는
나이가
들었을
때…
혹은 실수로
잘못된 곳에
발을 들이고
말았을 때,

그때는
마음속 깊숙이
묻어뒀을 터였던 것이
화산의 용암처럼
뿜어져 나온다.
스탠드는
에너지의 형태.
스스로 멈추려고
필사적으로
애써도 결코
멈출 수 없다.

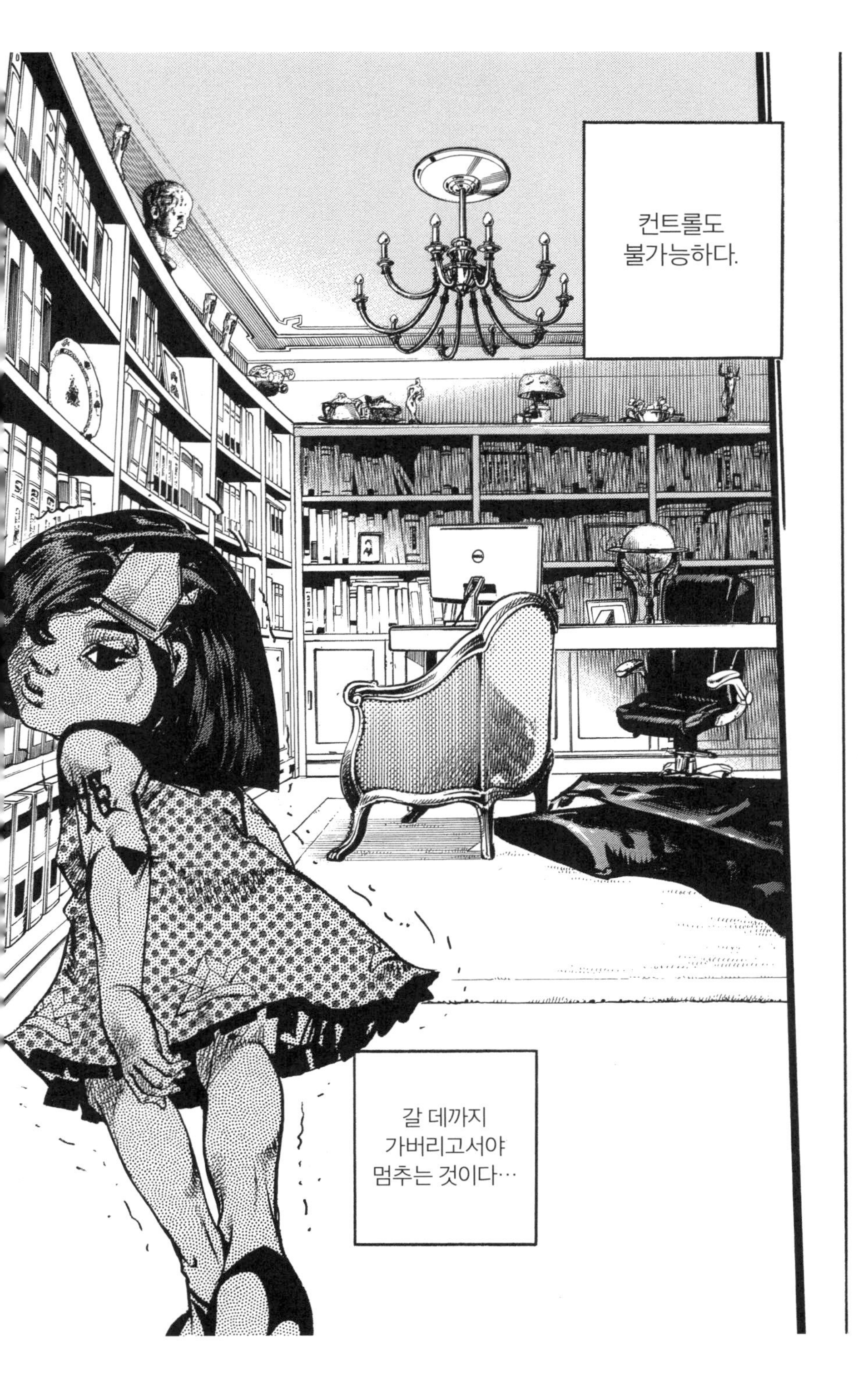
컨트롤도
불가능하다.
갈 데까지
가버리고서야
멈추는 것이다…

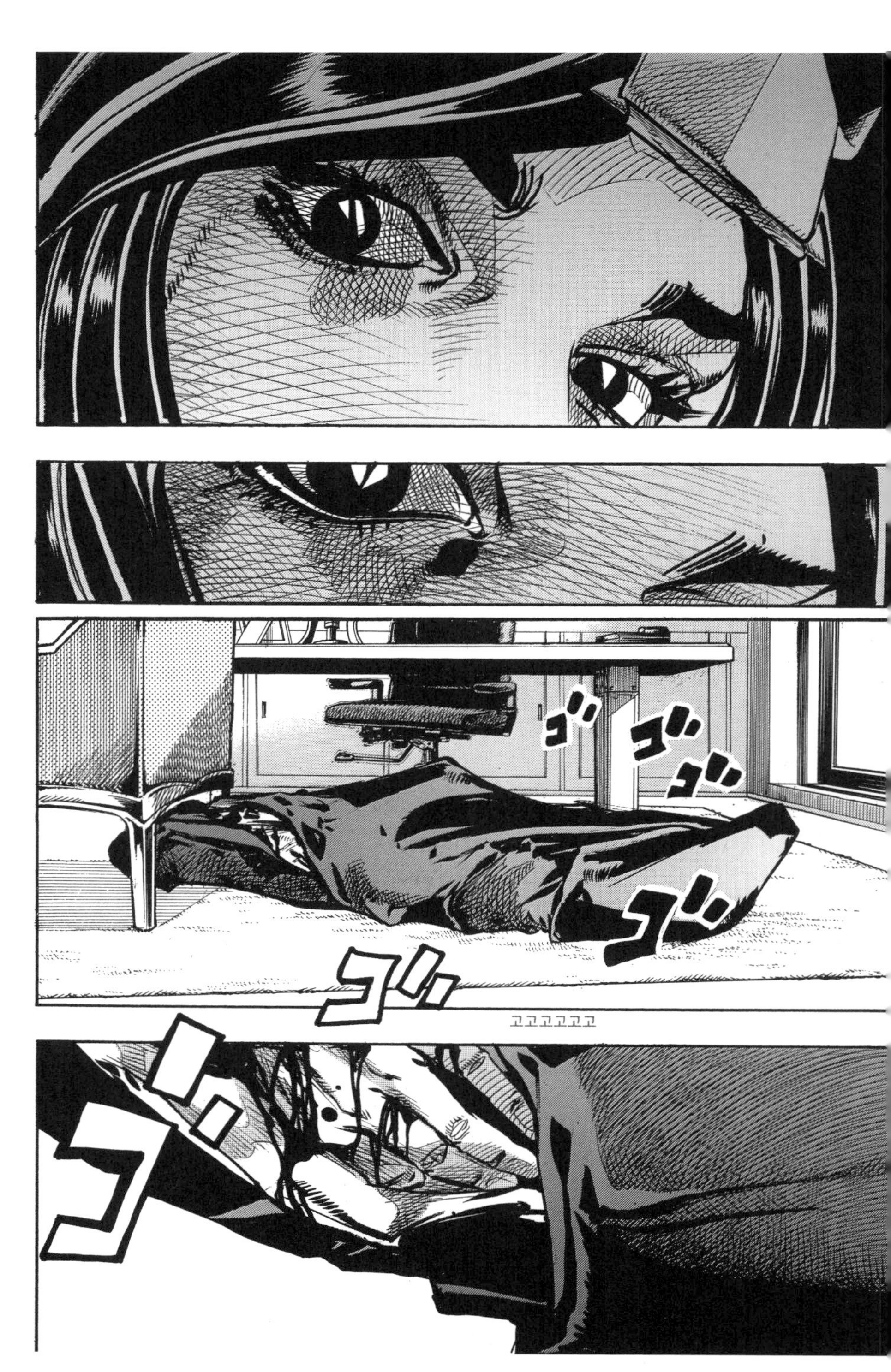
ゴ
ゴ
ゴ
ゴ
ゴ
ゴ
ゴ
고고고고고고

고고고
덜커석
고고고

도도도도

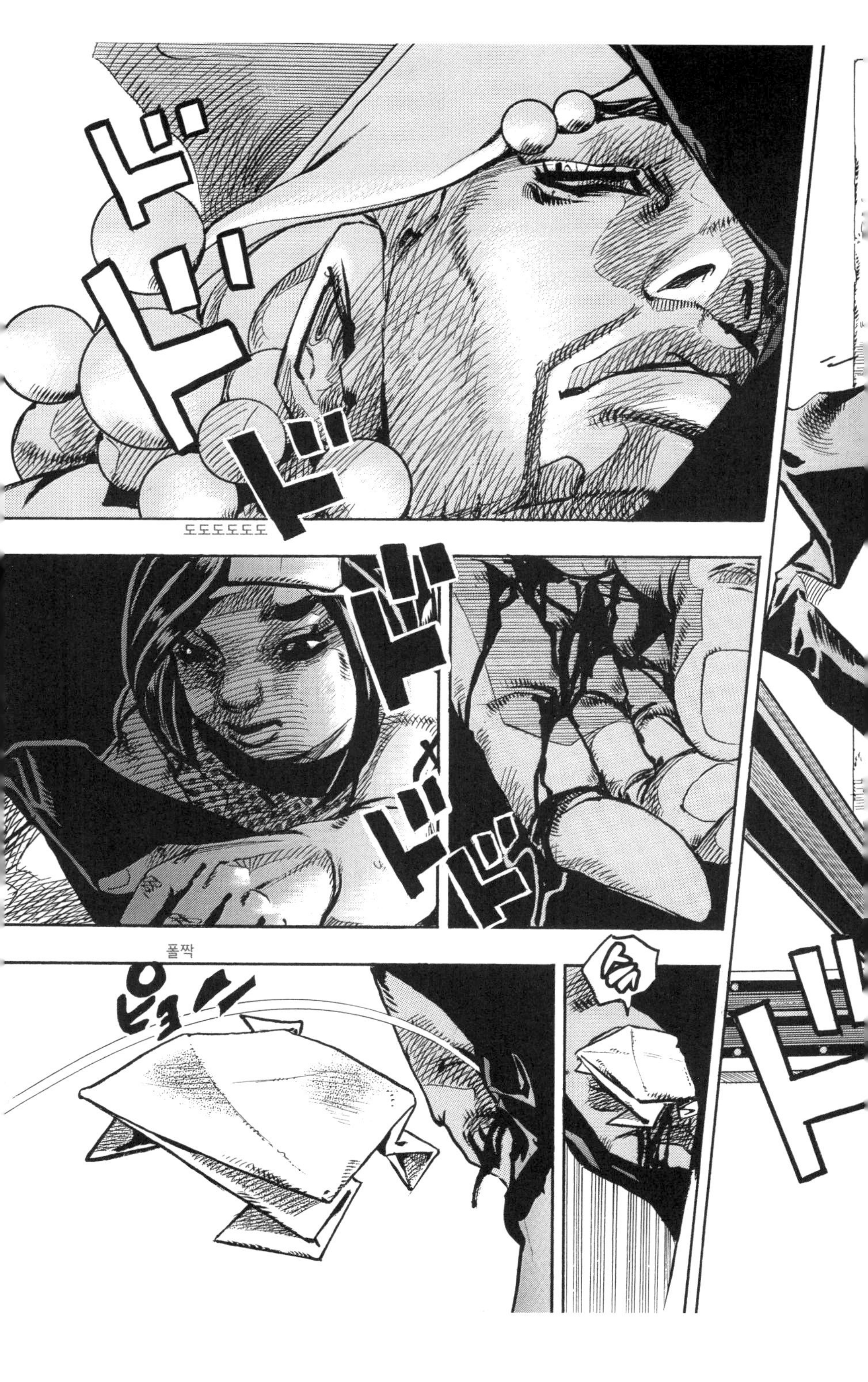
도도도도도도
폴짝

신 로카카카 열매 — 수확까지
0일 0시간 13분
도도도
도도도
이로부터 7일 전에
일어난 일.
신 로카카카 열매 — 수확까지
7일 1시간 02분
도도도

パァァ
ァァァァ
アァァア
부우우우우우우우우웅

안녕
하세요
…
미…
미츠바
씨…
앗!
안녕
하세요
미츠…
웃!

…
…

안녕하세요♡
여러분.
이거라면
신경쓰지
마세요…
전前
미스 체리는
이제 옛날
이야기
예요.

츠루기…
여기야!

엄마 왔다…
집에 가자!

츠루기.

여기야.

질질질질

ズルズル

'오모시로 야마*' 라고
누구든 '완전 별로'라고 생각할 법한 이름의 산에 다같이 다녀왔어.
그래… 재밌었니?
별로…

오늘은 수기手旗 신호 사용법이랑
페트병으로 물고기 잡는 법을 배웠어.
저…
츠루기 어머님.

* 일본어로 '오모시로이(面白い)'는 '재밌다', '야마(山)'는 '산'을 뜻한다. (역주)

드릴 말씀이…
잠깐 괜찮으실…?!

흠칫!
ハッ!

이 코라면 신경쓰지 마세요.
전前 미스 체리는 이제 옛날 이야기예요.

……
다름 아니라 츠루기 짱이…

오늘 야외 활동중에 트러블이 있어서요.

괴롭힘 같은 문제는 아니지만…

같은 조원 중 몇 명이 츠루기짱한테 시비를 걸었나 보더라고요.

있잖아 ~~
츠루기짱네 할머니 말야 ~~~~
그거 잘 안다며?
그거…
우리도 가르쳐 주라아아.
쏴아아아

"아이 시체를 잘 묻는 법".
쏴아- 쏴아- 쏴아-

죽은 애 시체가 오랫동안 발견되지 않았잖아?
그런데 썩지도 않고 냄새도 안 났다는 거 진짜야?
츠루기짱?! 어떻게 묻으면 그렇게 돼?
할머니한테 들었을 거 아냐?

어라아~~ 너 얼굴 겁나 무섭다아?
얘 눈 좀 봐.
한번 해보려고?
어디 한번! 해봐.

해보라고… 쪼다야.
따악!

사실은 너희 아빠가 어렸을 때 죽인 건데 너희 할머니가 대신 죄를 뒤집어썼다는 소문도 있더라?

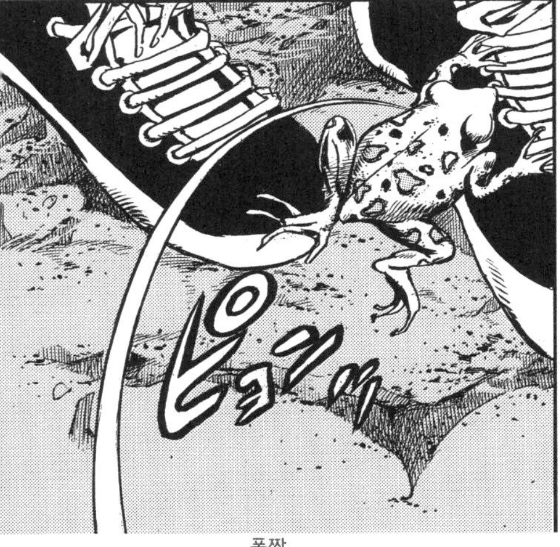

폴짝

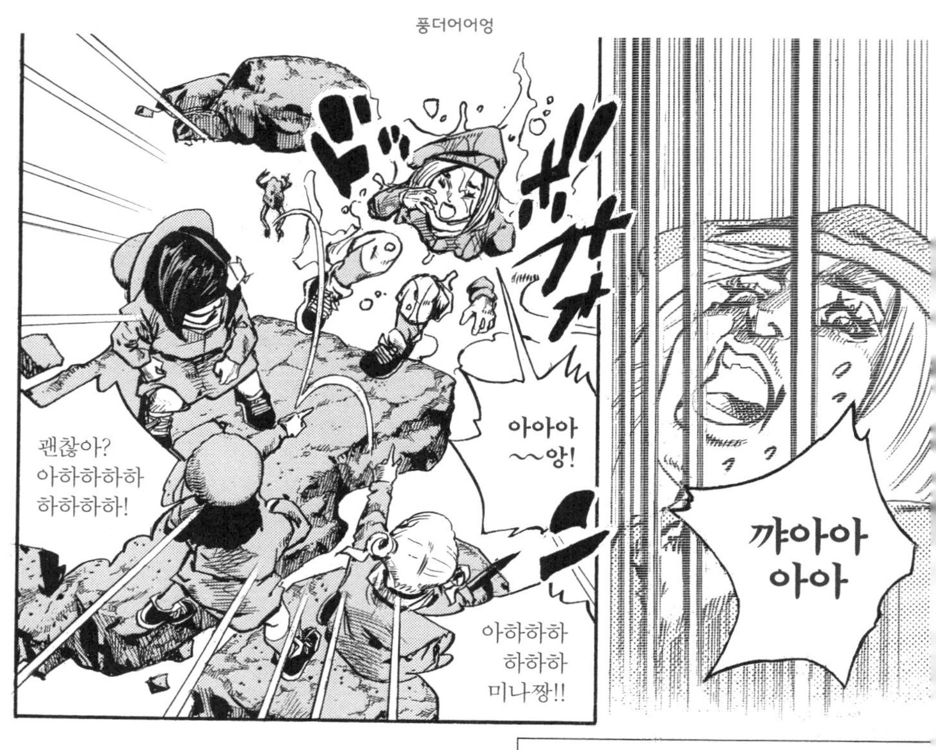
풍더어어엉
꺄아아
아아
아아아
~~앙!
괜찮아?
아하하하하
하하하하!
아하하하
하하하
미나짱!!

방금
하신
이야기
…

선생님.
대체 무슨
말씀을 하시고
싶은 건지…?
도무지
이해가
안 되네요.

듣자 하니 저희 '츠루기'는 말 한마디 안 했고
또 무슨 짓을 저지른 것 같지도 않은데요.
아이들이 까불다가 제풀에 개울에 빠졌다,
단지 그뿐…
……
예…
그렇죠, 츠루기 어머님.
…그러니까, 그런 트러블이 오늘 있었다고 보고를 드리는 겁니다.

20여 년 전에 모리오초에서 일어난 '아동 살인 사건'에 관해 말씀을 하시는 거라면
저희 '히가시카타가'와는 무관합니다.
츠루기한테 할머니는 없어요. 진작 연을 끊었거든요. 그 일이 발각되기도 전부터요.
한 번만 더 저희 앞에서 그 화제를 입에 올렸다간 가만두지 않을 거예요. 아시겠죠…
다시는…

전 인솔 교사로서

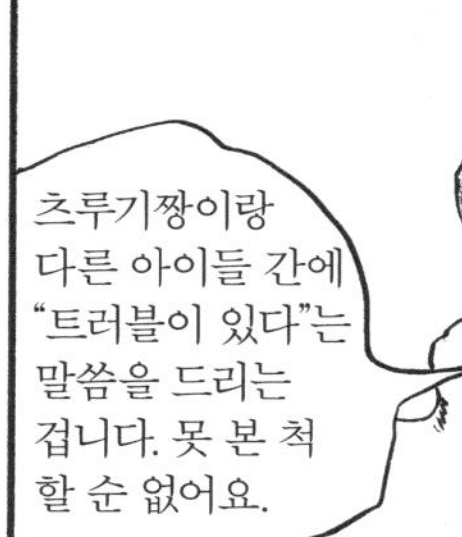
츠루기짱이랑 다른 아이들 간에 "트러블이 있다"는 말씀을 드리는 겁니다. 못 본 척 할 순 없어요.

예…?

트러블은 더이상 존재하지 않아요.
인솔 교사?
해직 시키라고 할 테니까 그렇게 아세요.

츠루기! 집에 가자!

응?
어딨니? 츠루기.

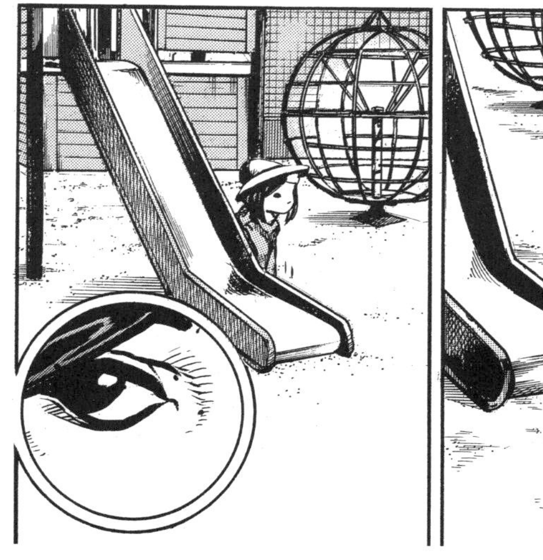

서… 선생님!
크…큰일 났어요!
…교문에 …!!
구… 구급차!
불러주세요, 구급차!!

누가 구급차 좀! 처… 철문에!

꺄아아
아아아
아아아
아아아
아아아
아아아
아아아
아아아

아아아아아아아아아아아아아아아아
아아아아아아아아아!
아아아!
누가 좀!
누가 좀
도와줘요!!
어,
어떡해!
아이가
쓰러져
있어!
어떻게
된 거지
?!
어떻게
된 거야?

무슨 일이
일어난 거지?
미나…
우아아
아아아
아아!
저거
미나짱
이잖아…
교문 철책에
끼었나봐…!!
으악,
속옷까지
피투성이야.

고고고고
미나가 의식이 없어요! 누가 빨리 구급차 좀 불러주세요!
미나 짱!
가면 안 돼!
무서워— 우아—앙 무서워—
이리 와! 보면 안 돼!

엄마.
빨리 집에 가고 싶어.
이렇게 무거운 철문이 저절로 움직여 우리 딸을 해쳤을 리 없어…
고고고고

누군가
철문을 밀어
미나를
해친 거야!

응?
응?
무슨!

대…대체 무슨 일이 일어난 거지?

누구 본 사람 없니?
재… 재예요… 봤어요.

나… 봤어요.

재가 문을 움직였어요!

무슨 소리
하는 거니?
너…!
신 로카카카 열매 — 수확까지
7일 0시간 44분

#084
더 원더 오브 유
(너의 기적 같은 사랑)
①

도도도도
신 로카카카 열매 수확까지—
【6일 04시간 12분】
도도도

도도도도도
우리는 틀림없이 거의 따라잡았어.
'신 로카카카' 가지는 반드시 찾아낸다.
이 TG대 병원

두웅
세 명은 이미 먼지로 돌아가 이 세상에 존재하지 않아.
“3층 산부인과 안쪽” “로카카카 연구실”에 입실한 이력이 있는 인물은 네 명뿐.
나머지 한 명!

입실한 적 있는 인물은 이 병원의 "원장"이야.

야스호 짱…
…괜찮아, 나도…

도울게… 어딘가에 있는
이 병원의 '원장'을 같이 찾자.
하지만…

신 로카카카의 '가지'가…
히가시카타가에 '있다'는 내 생각은 변함없어.
죄송합니다. 사전 예약 없이는 저희 병원 원장 선생님을 만나실 수 없습니다.
어디 볼까요오 ~~~
오늘 원장님 스케줄로는 안 되겠군요오~ 다음주 수요일이면…
뭣.
그러니까 …
있다고?
이 안쪽 방에?
지금! 원장이 여기 있는 건가…? 설마…

자,
자,
잠깐만요… 막무가내로 들어가시면 안 됩니다. 어떤 일로 오셨는지요?
덥서억

힐끗

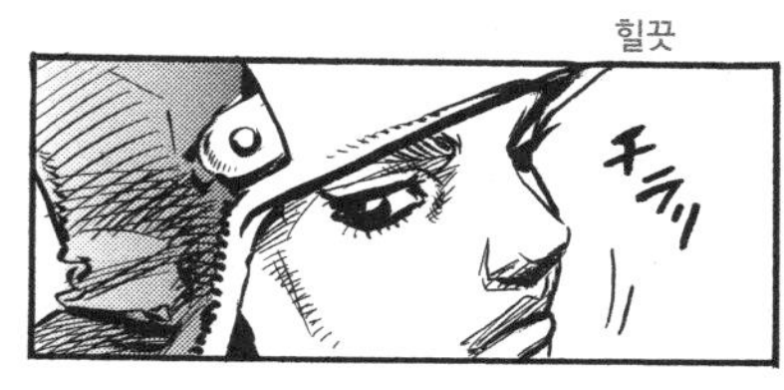

……

여기… 내 왼손 좀
보라고.
어떻게든! 꼭 좀! 원장한테 진찰을 받아보고 싶어서 말야.
손가락이 네 개나 잘렸거든.
손가락이 다시 자라날지?
자…잠깐만요! 그런 거라면 저희 병원 원무과 쪽에서 외래 접수를 하시죠!
명예직이라서… 원장 선생님은 현재 진찰은 보지 않고 계십니다.
……예…
그렇군.
하지만,
어떻게든 꼭 한번… 원장을 만나보고 싶어.
그런데… 이 홈페이지를 보라고.
이걸 봤거든?… 원장 이름은 "아케후 사토루".
병원 홈페이지에 적힌 화려한 경력을 봤다고. 의학상도 수상하셨던데.
나이는 89세, 맞지?

없다고.
어디에도 원장의 얼굴 사진이 올라와 있지 않잖아.

당신 오늘… '원장'을 봤나?
어딜 어떻게 찾아봐도 원장의 얼굴 사진은 일절 없어.
보라고…
엄청 만나보고 싶어…
하지만 우린 얼굴을 몰라.
그럼요. 출근하셨는걸요.
어째서지?

이상한 질문이군요… 뭡니까? 도대체?

건강 하시던가?
다른 직원들도 원장을 봤고?

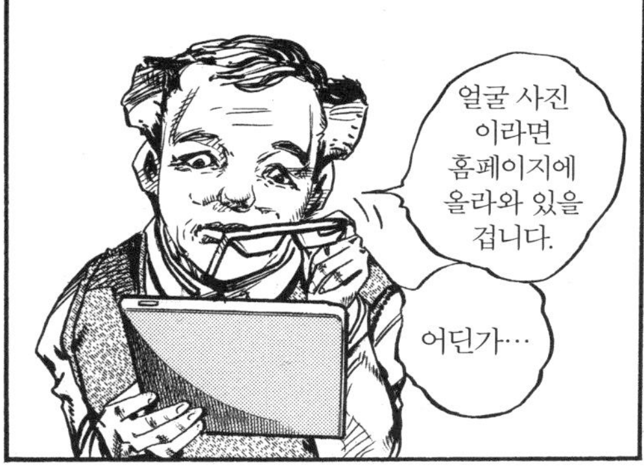
얼굴 사진
이라면
홈페이지에
올라와 있을
겁니다.
어딘가…

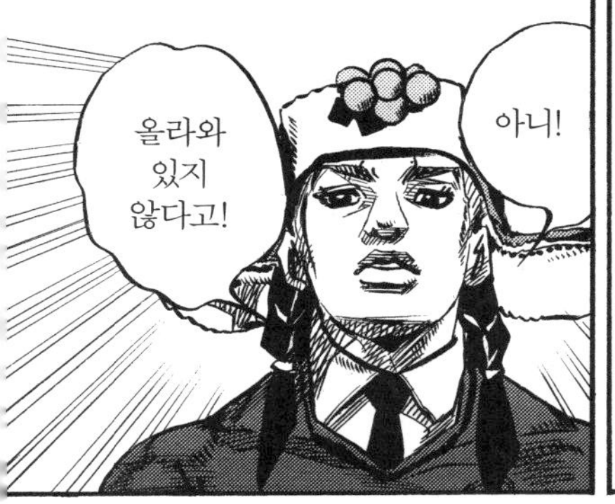
아니!
올라와
있지
않다고!

슥…

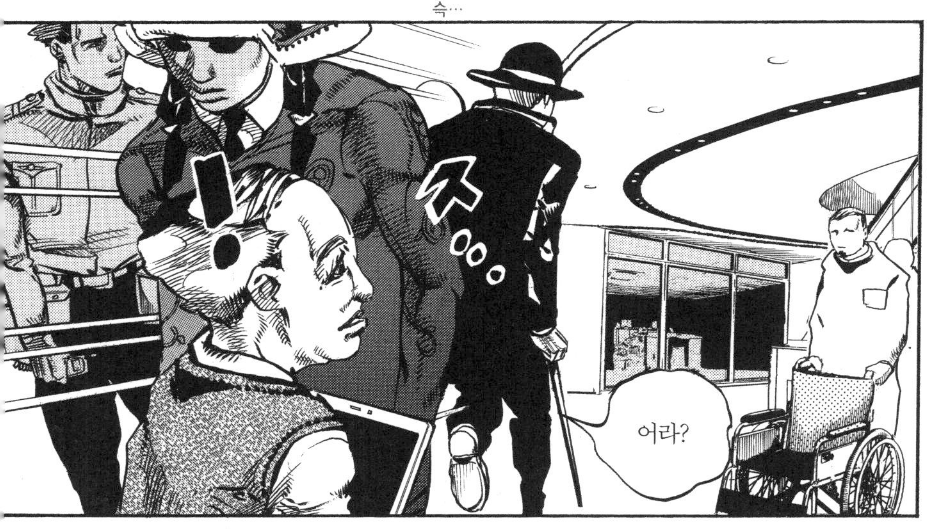
어라?

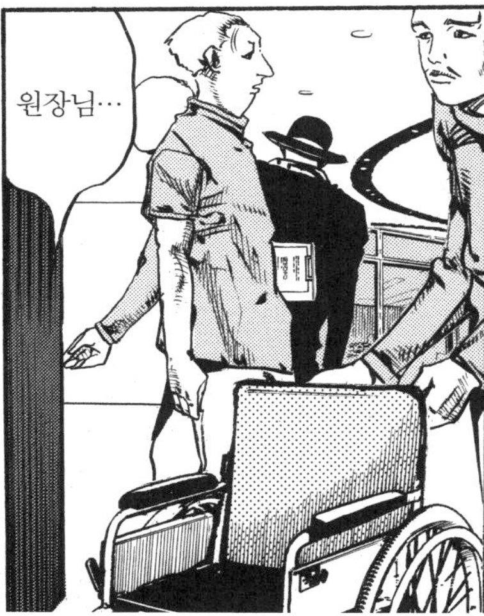
원장님…

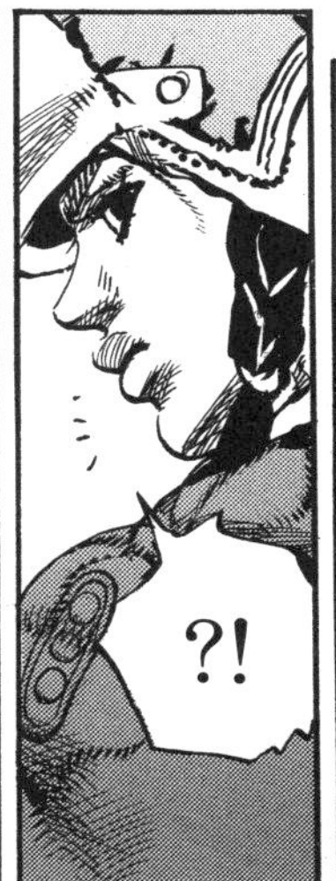
?!

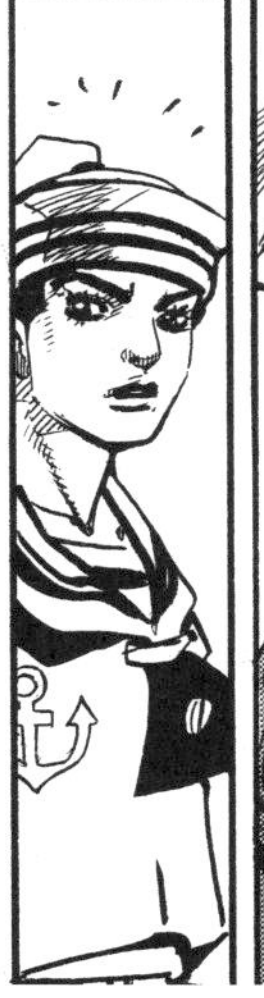

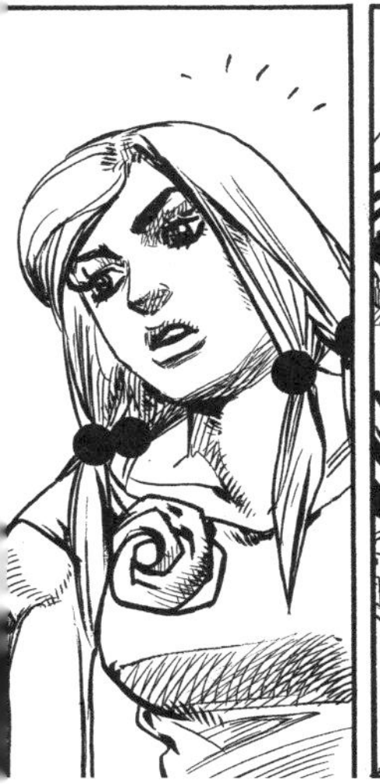

분명 오늘
외부 일정은 없으실 텐데…
뭣?!

누구 얘길 하는 거야?!
외부 일정이라니, 누구 얘기야?

원장 선생님이죠.
어디 나가시나 봐요. 가운을 벗고 나오셨는데요.

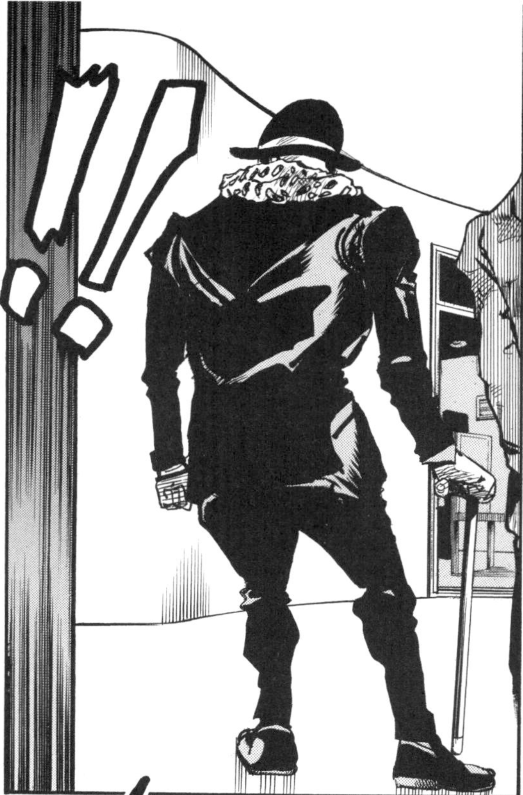

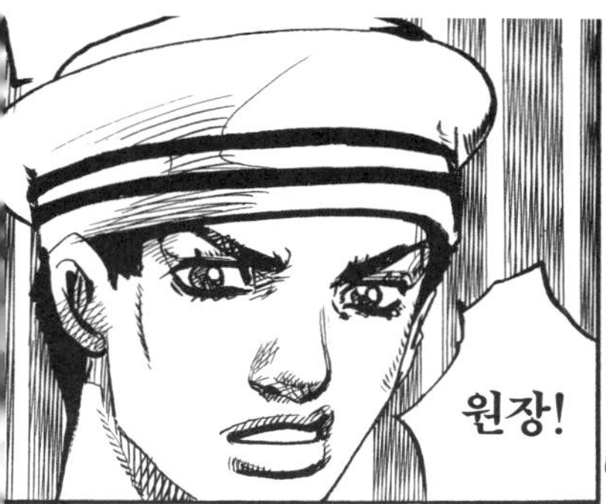
원장!

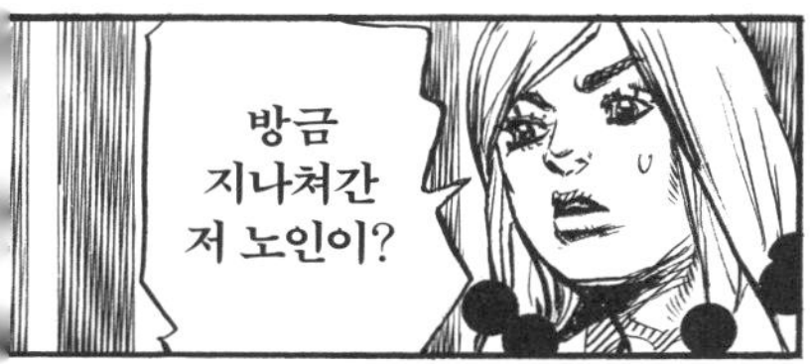
방금
지나쳐간
저 노인이?

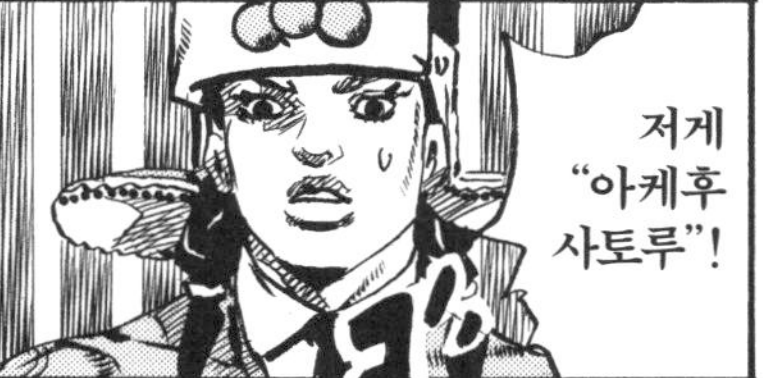
저게
"아케후
사토루"!

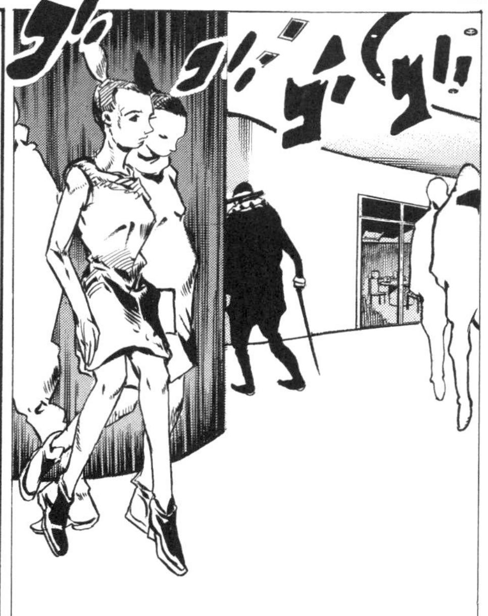

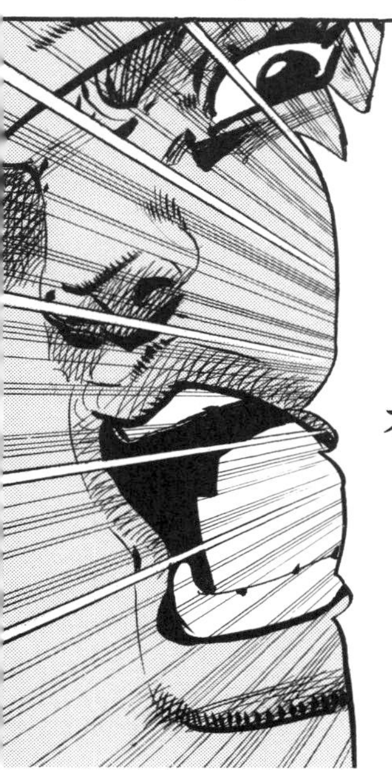
이봐!
잠깐!!

고고고고고

원장님! 잠깐 좀 봅시다!!
연세가 많으시다 보니
가는귀가 좀… 그보다 실내에서 큰소리는 부디 삼가시길!

찰칵
찰칵
찰칵

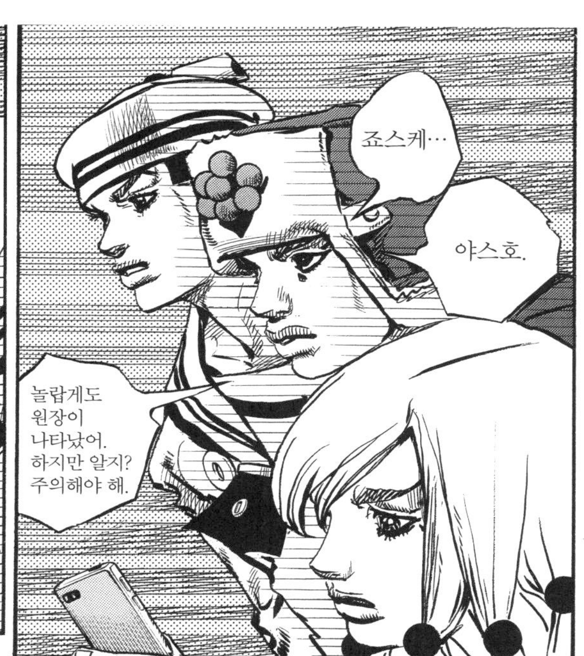
죠스케…
야스호.
놀랍게도
원장이
나타났어.
하지만 알지?
주의해야 해.

로카카카
연구실이
난장판이 된
마당에…
설마…
이 병원에
있을 거라곤
생각도 못
했는데…
적이 아닌
일개 노인일
뿐인가?
원장은?
아니면 혹시
일부러 기다리고
있었나…?
'함정'인가?

얼굴이
보이지
않아…
사진은
못 찍었어.

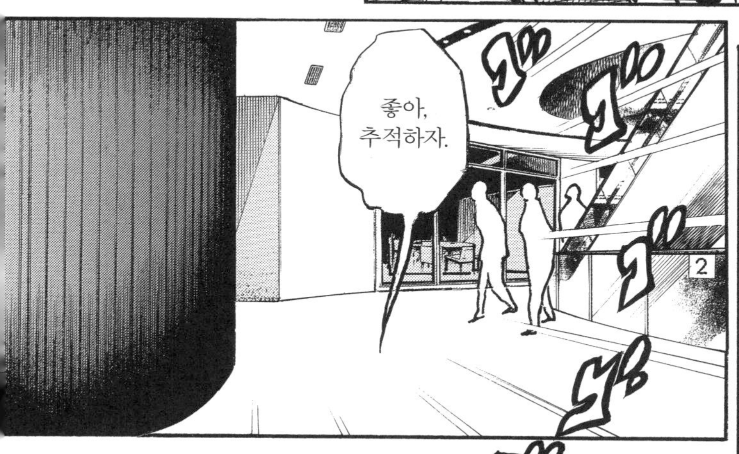
좋아,
추적하자.
2

하지만
녀석을 상대로
행동에
나서는 건
우선
'정체'가
뭔지?
'바위 인간'
인지?
그리고
'신 로카카카
가지'가
어디에 있는지?
확인하고 난
다음이야.

고고고고고고고

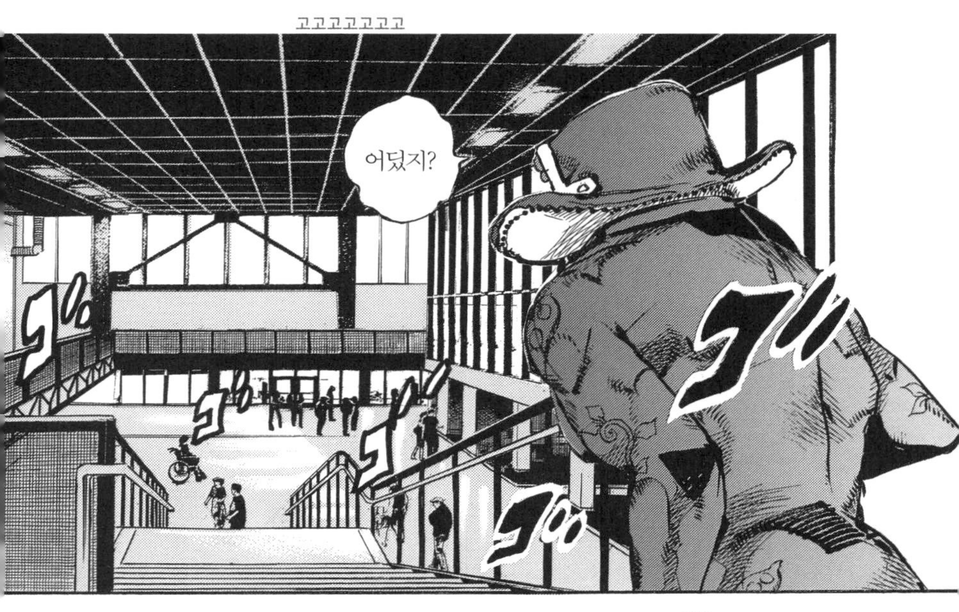
고고고고고고고
어딨지?

고고

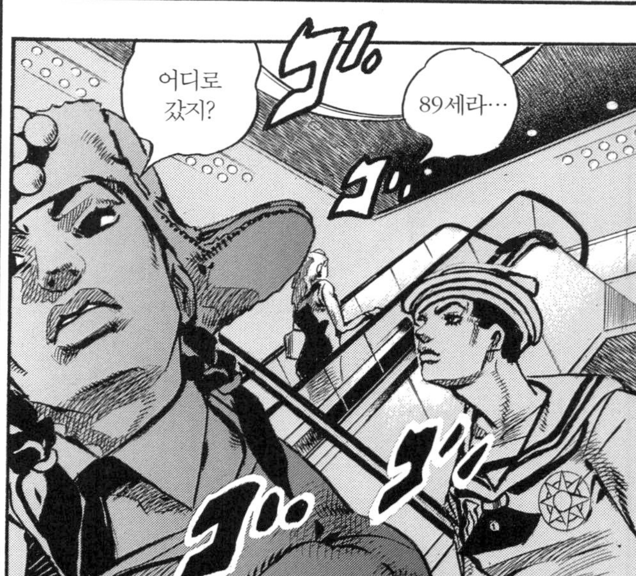
89세라…
어디로
갔지?
고고고고

STAFF

STAFF

ONLY
STAFF ONLY
즈큐우웅
IC

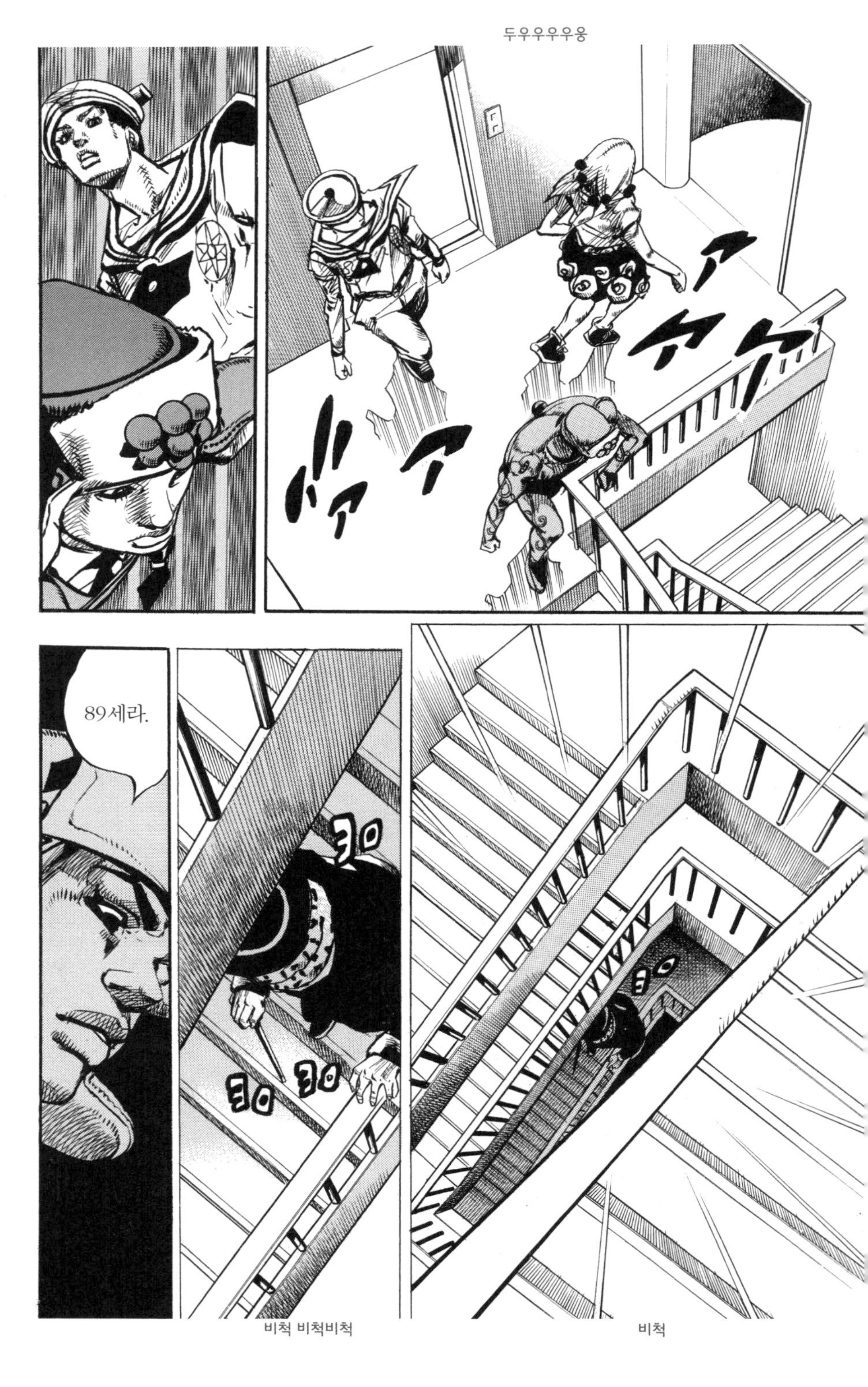
두우우우우웅
쏴 아
89세라.
비척 비척비척
비척

고고고
헉!
홱

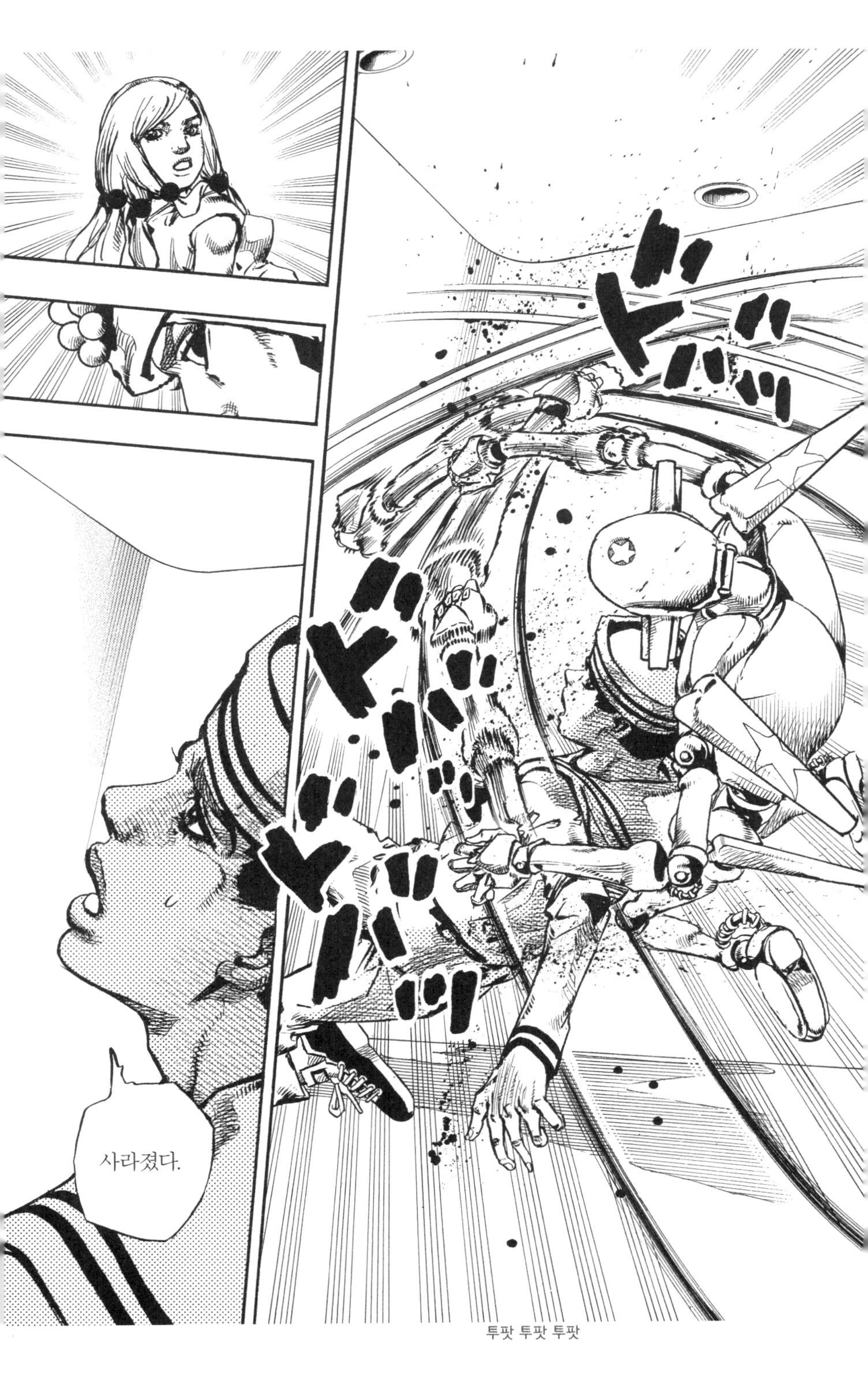
사라졌다.
투팟 투팟 투팟

방금…
천장 귀퉁이…
등뒤에 '뭔가'
있었어…
방금 그건 …
스탠드 공격 이야.
팟
대미지랄까… 실질적 피해… 그건 아직 입지 않았어.
하지만 등뒤를 빼앗겼어.
그리고 돌아봤더니 사라졌어.

또는 '모종의' 공격을 하려 했어.
'뭔가'! …하고 있었어.
야스호, 너도 봤나?
… 아뇨.
난 못 봤어요.

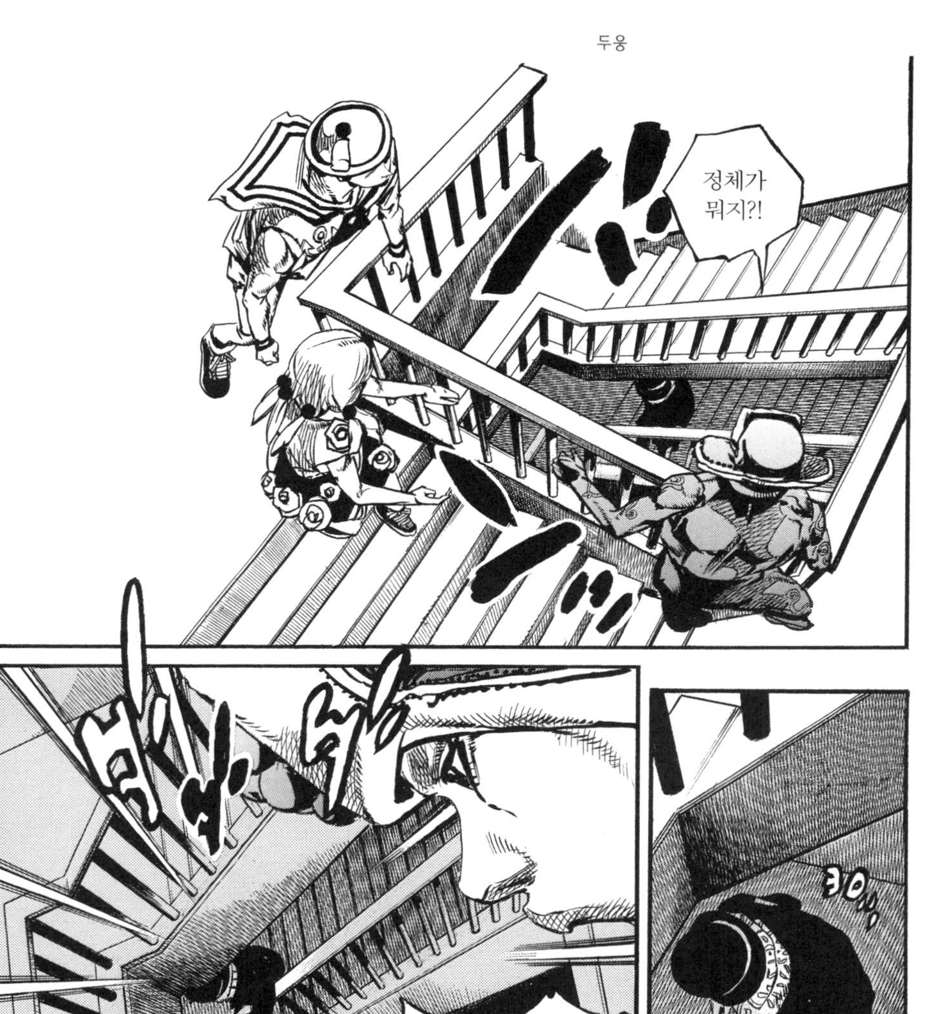
두웅
정체가 뭐지?!

비척비척

거기 서! 아케후 사토루!
탁탁탁탁탁

탁탁탁
탁탁
분명 우리 소릴 들었어…
달아나려는 거야.
타앙
아니 근데 진짜… 89세?
비척비척
우당타아아앙

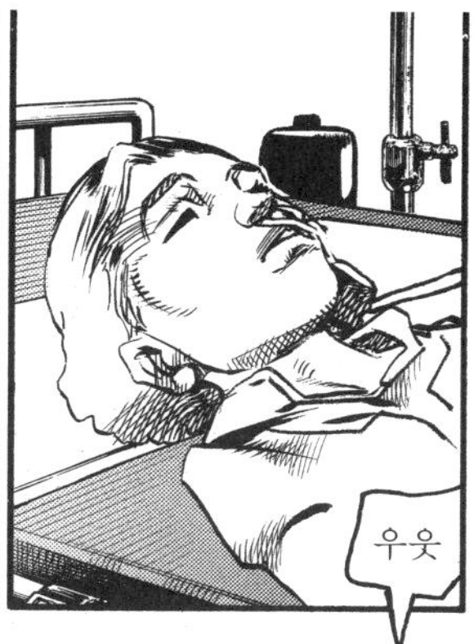
우웃

06
04
이…
이런.
시…
실례…
미안하게
됐군.

ICU

ICU
ICU
원장은
어딨지?
01
03
STAFF ONLY
어디 갔지?
팟 팟

사라졌어…
아니 근데 진짜 89세 라고?
이상 하다.
팟

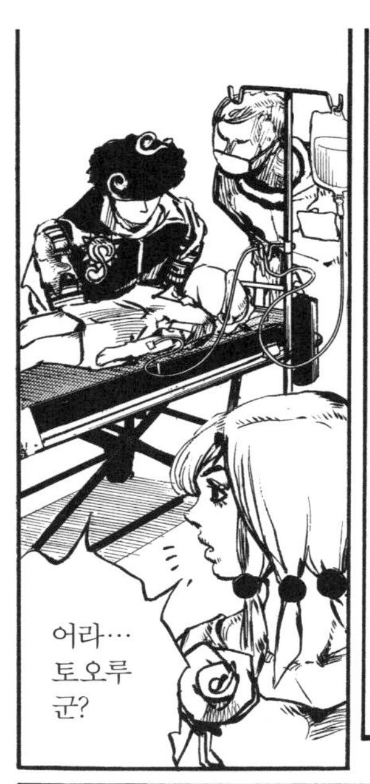
어라… 토오루 군?

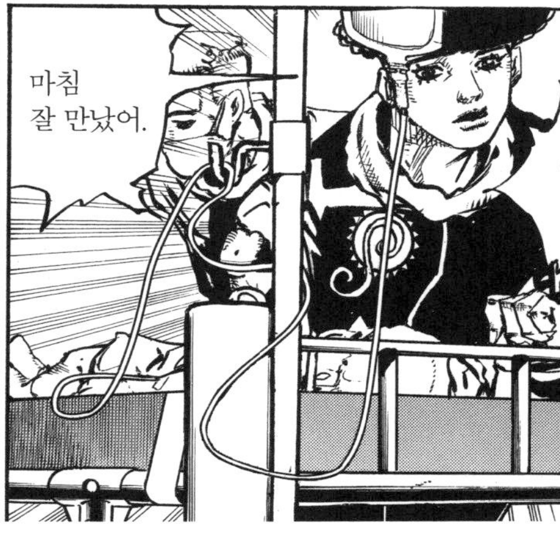
음!
야스호 짱…
마침 잘 만났어.

야스호 짱, 이리! 이리 좀 와봐!

……

이 아이는 응급 환자인데 지병인 당뇨 때문이었나, 아무튼 발작으로 실려 왔어.
담당의의 처치가 끝나서 진정된 것처럼 보이지만…

ICU로 이송된 지… 시간이 얼마나 됐나요?
10분쯤 됐습니다.

10분.

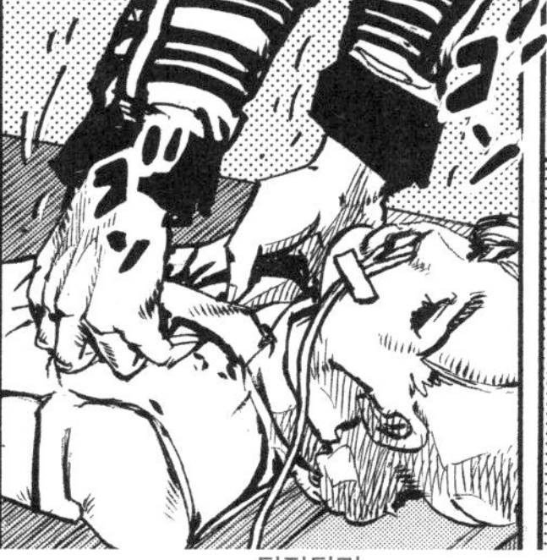

뒤적뒤적

서둘러
담당의를 다시
부르는 게
좋겠네요.

난 아직
수련의도
아니지만,
이 아이는
치킨을 먹던 중에
발작을
일으켰다고 했죠.
…당뇨도 문제지만
동시에 기도 안쪽에
음식물이 걸려
있어요.
치킨 조각요.
원인은
이쪽이에요.

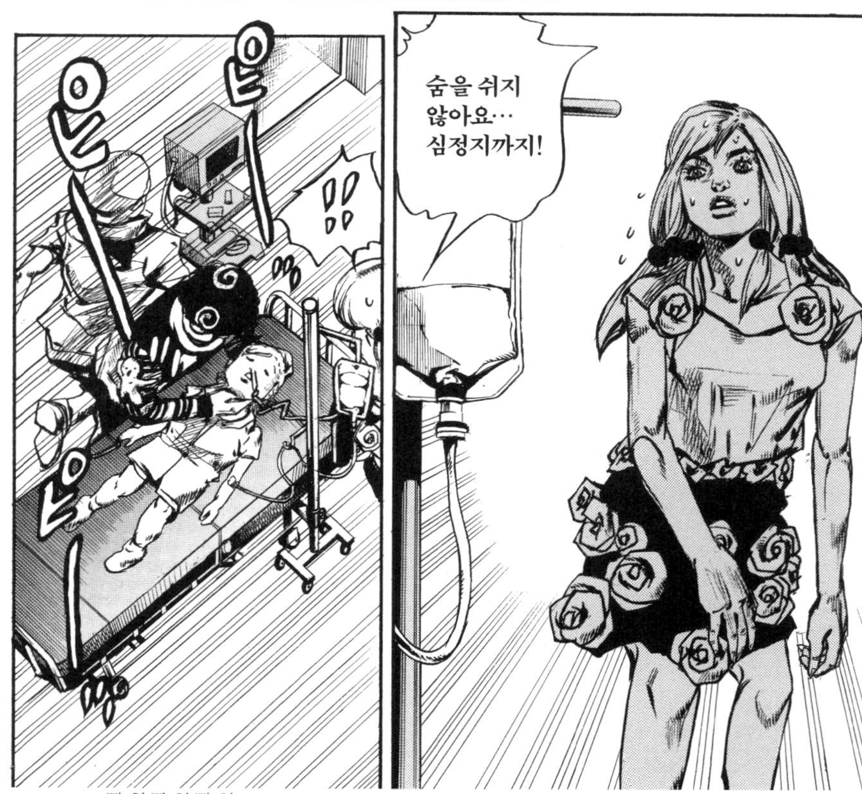
숨을 쉬지
않아요…
심정지까지!
삐-익 삐-익 삐-익

삐-익 삐-익
야스호짱,
이렇게
주먹 좀
쥐어봐!
삐-익 삐-익
어서!
남자가 하면
어린애
갈비뼈가
부러진다고!
꽉 잡아!
꽉 잡아!
삐-익 삐-익
삐-익
삐-익
스읍
스읍
씁
주먹 쥐고
위로
끌어당겨!
꽈아아아악

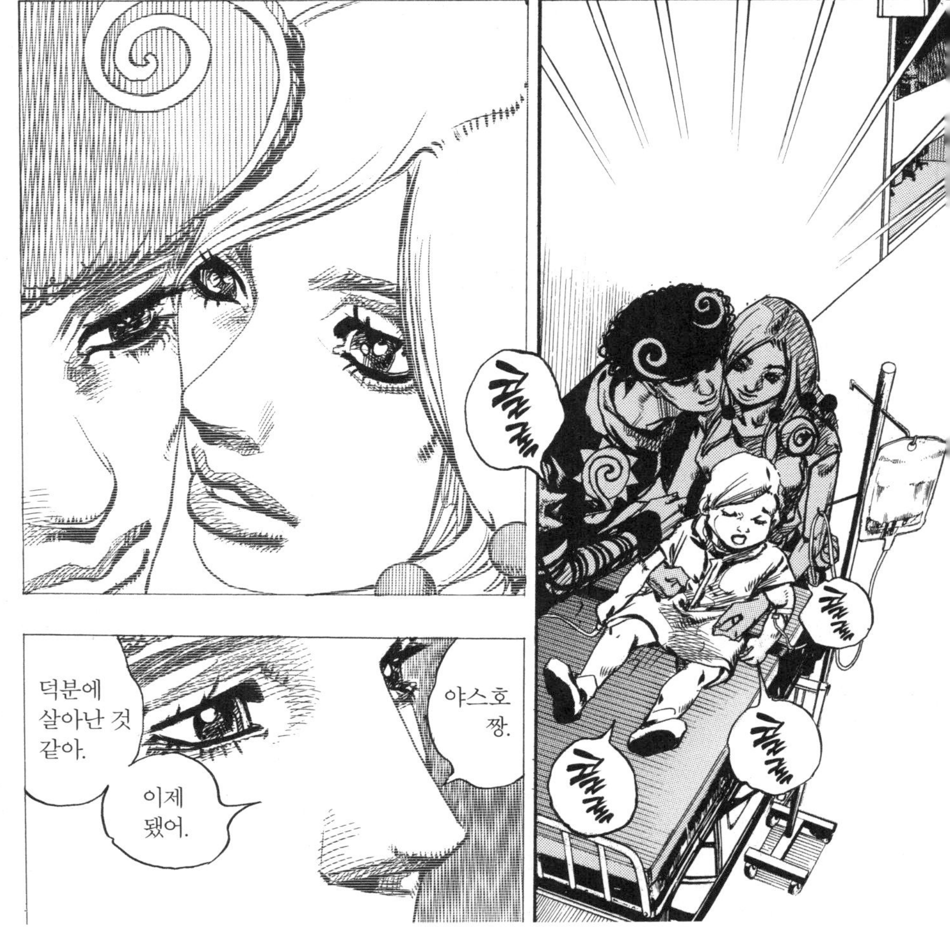

야스호 짱.
덕분에 살아난 것 같아.
이제 됐어.

…….

만나는 타이밍이 …
좋네…
우린 매번…

!

홱

STAFF ONLY

고의로
부딪친 거지?

우리가 문을 열고 여기로 나왔을 때
넌 이곳을 청소하는 것처럼 보였지만
고의로 들것과 우릴 부딪치게 한 거야.

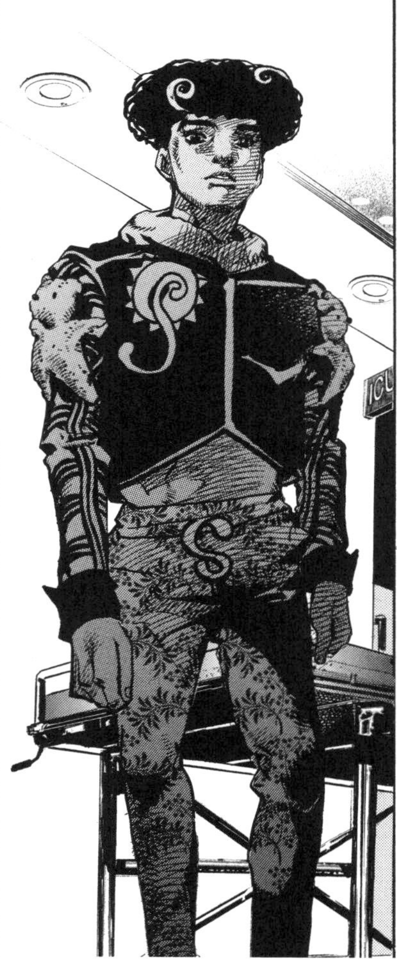

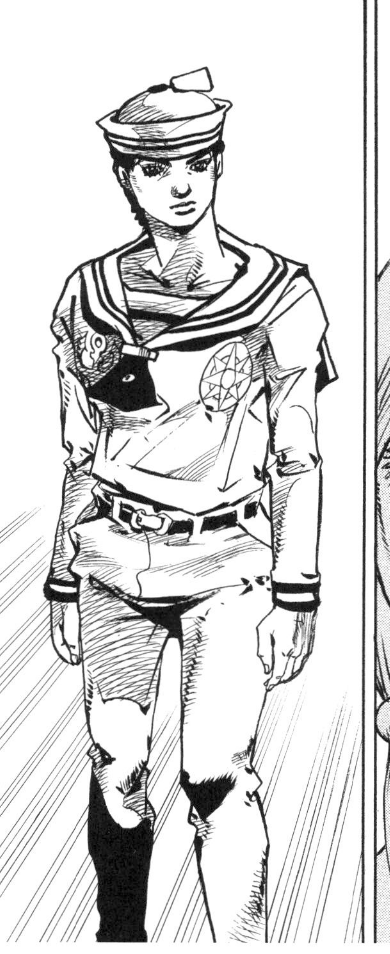

그러니까 이런 얘기야.
난데없는 건 네 쪽이야. 매번 갑작스럽게 나타나던데.
넌 매번 "방해"해.

난데없이 무슨 얘길 하는 거야…?

죠스케?
대체 무슨…?

?
갑작스럽게 나타났다고?

너흰 "원장 선생님"을 찾고 있는데 내가 그걸 방해했다고 생각하는 것 같아서
가르쳐 주는 건데 말야.

이상한 소리네.
난 이 병원에서 일하고 있거든. 알바긴 하지만.
잠깐, 야스호 짱.
죠스케? 무슨 얘길 하고 싶은 거야?

ICU
02

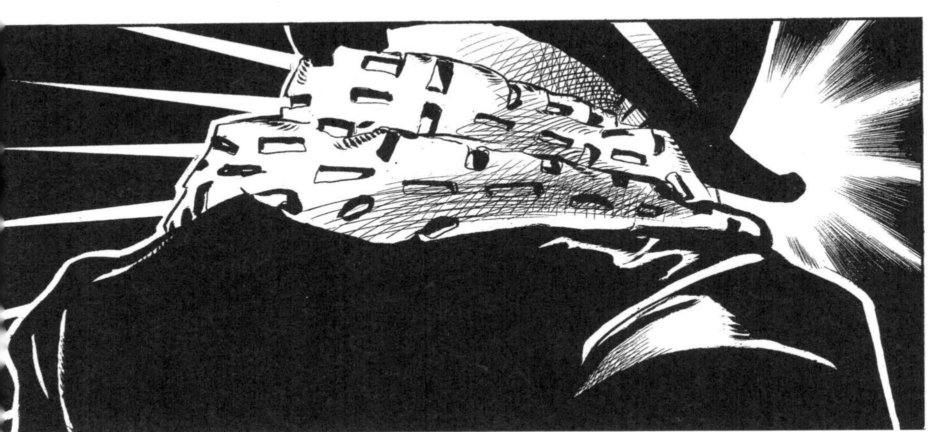

…언제부터?
ドドド
도도
ドドド
도도도도도

도도도도도도
계속 저기
앉아 있었던
건가?
무슨
속셈이지?

도도도도

초루기
…

엄마는
언제나
널 사랑해…

고고고고고

도도도도

고고고고고고고고고고
엄마한테 '뭔가'… 숨기는 거…
없니?

…엄마는
…?
…없어?
신 로카카카 열매 ― 수확까지
6일 03시간 25분
두우우우우웅

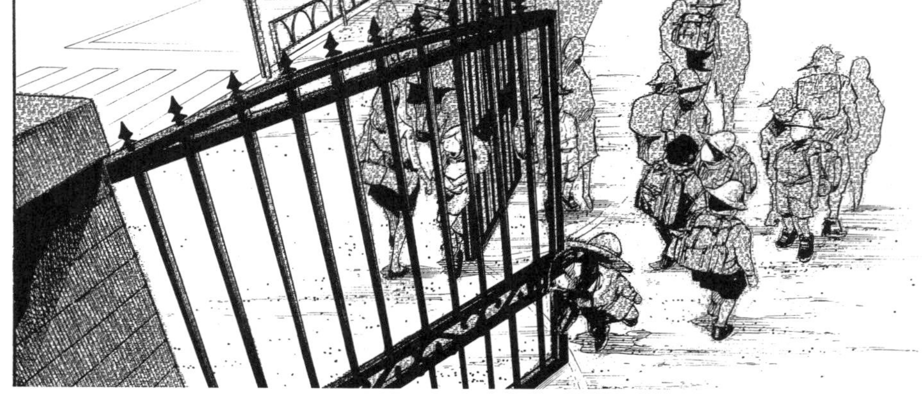

카메라 1 ▶

학교 입구의 무거운 철문이 움직여
고문에 설치된 카메라 영상인데요, 이 장면 직후
미나짱이 끼는 대형 사고가 일어났습니다.

카메라 1 ▶

불행 중
다행으로
미나짱의 부상은
가벼운 편…
찰과상
이랍
니다.
병원에서
순조롭게
회복중이라
하더군요.

이 영상에 관해
히가시카타 씨,
'무슨' 의견
없으신가요?
의견…

하지만
참으로
안타깝게도
—미나짱네
어머님은
따님의
유혈 사태를
보고 마셨죠.
그
쇼크로
쓰러져
같은 병원에
입원하셨
답니다.

'의견' 이라뇨 …?
'무슨' 말씀을 하고 싶으신 건지?
또 '대형 사고'와 '가벼운 부상'은 정반대의 의미 아닌가요?
사태가 몹시 심각해요!!
미나짱 곁에 있던 모두가 '철문'을 민 건 ―히가시카타 씨.
'츠루기'짱 이라고 입을 모아 증언했다니까요.

'모두'는 무슨 모두예요.
다들 겁에 질린 상황 속에서― 이 엉터리 교사가 억지로 유도해 말을 시킨― 여자애 단 한 명뿐인 것 갖고.
철문 쪽으로 다가가는 츠루기짱이 카메라에 찍혀 있잖아요.
당신네 애도 찍혀 있잖아.

여기 찍혀 있는 건 단지 츠루기가 철문 쪽으로 지나가는 모습뿐이잖아요.
미나짱이 자기 혼자 철문에 낀 거지, 츠루기는 아무 상관 없어요!

침착하게 대화 부탁드려요.
여러분, 진정하세요.
무거운 철문이 결코 자기 혼자 움직일 리 없어요!!

내가 또 워낙 밝고 사교적이잖아요? 미나짱네 엄마랑도 친하다니까요.
미츠바 씨.

우린 가족끼리 친하게 지내잖아요.
미츠바 씨, 괜찮아요.
노리스케 씨는 잘 계세요?

불행 중 다행으로 미나짱의 부상도 가벼운 편이니 정말 잘됐어요.
이번 일은 내가
미나짱네 엄마랑 얘기해서 잘 중재할게요.
원만히 수습하는 거예요.
네?
그리 할게요… 그러니까 미츠바 씨는 안심하고 계세요.

치워.
이거 치우라고.
어딜 주제도 모르고 내 어깨에 손을 올려.
참, 손이 아니지. 이 족발을 치우란 말야.

족발…
당신네들 잘 들어…

우리 츠루기는 어제 야외 활동에 참가했을 뿐
아무것도, 아무 말도 하지 않았어!
중재니 뭐니, 무슨 '수습'을 해? …웃기지도 않은 소리 지껄이지 마!
당신도,
당신도,
당신 도야!
당신네 애들도 그렇고… 두 번 다시… 이유 없이! 혹시라도 우리 츠루기를 손가락질하고 그랬다간

내가 그놈의 손가락이란 손가락은 죄다 분질러 주겠어.

회의
그럼 이만.

자기 애
츠루기를
가리키고
있는데
말야…
증거나
동기나
뭘 어떻게
보나…
앞으로
어쩌려고
저러나
몰라~
치맛
바람이
장난 아니
시네요…

우와아아아
아아아아!
앗 뜨거—
뜨뜨뜨뜨
뜨뜨!

푸헉!!

푸화아악 푸화아악

조심들
하지 않고.
?!
메라 1 ▶

오오오오오오오오

저 사람… 나 알아.

…분명… …저 뒷모습은 TG대 병원 '원장'이야…

그런데 왜 여기에?

#085
더 원더 오브 유
(너의 기적 같은 사랑)
②

조요오-옹

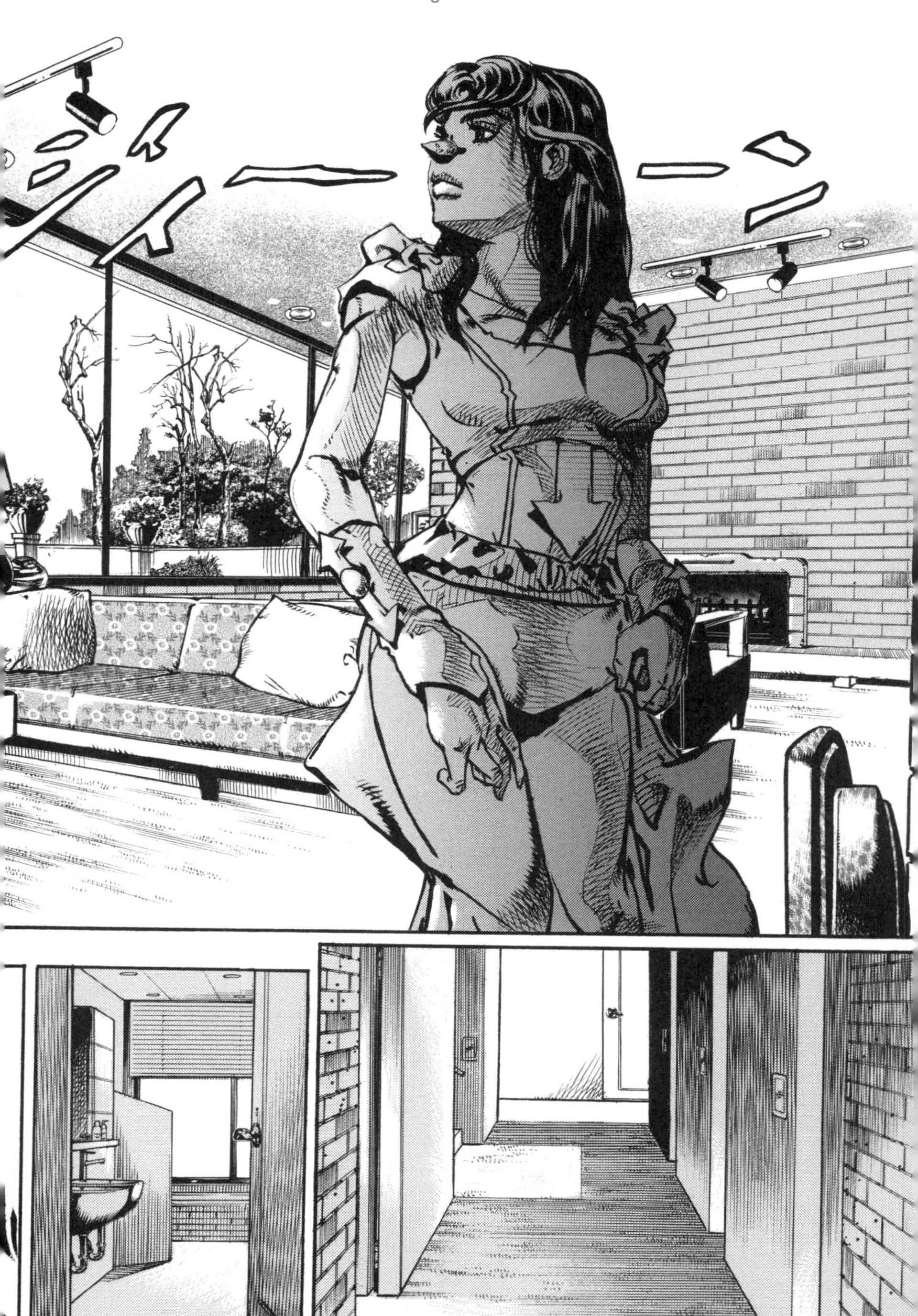

일렁…

덥서어어어억
얼마
썼지?
언제까지
시치미
떼게?
앗?
그 코!…
꽈아아악
미츠바~~
내가
못 알아
챌 줄
알았어?
여…
여보…?
불쑥!

2…
2억 엔을
써버린 걸…
들켰어!
……!

당신
끝내준다
아아~~!
죽이는데
에에에~~
대바아악!!
이거 진짜!!
최고야.
만져도 돼?
당신 무지무지
예뻐~~~~어!

내가
못 알아차릴
리 없잖아
~~!
이 코…
멋있고!
섹시해!
꼭
내가 기르는
헤라클레스
장수풍뎅이
같은데에에!
아니! 젠장,
그 이상
이야!
당신은
역시 최고로
근사한
내 여자야.
헤라
클레스가
뭐야?

이리 와.
어라,
혹시…
안 들켰나?

탁탁탁

풀써어어억
다들 집에 오기 전에 오붓한 시간 좀 보낼까.
아~~앙♡ 빨리도 벗긴다니까 아아아아.
아직 3시도 안 됐는데에 —
주물주물
당신은 진짜 귀엽고 끝내준단 말야.
아앗♡… 좀 있으면 츠루기가 집에 올 텐데…
그 코로 여기저기 쑤셔줘.
쪼옥 쪼옥 쪼옥

'츠루기'…

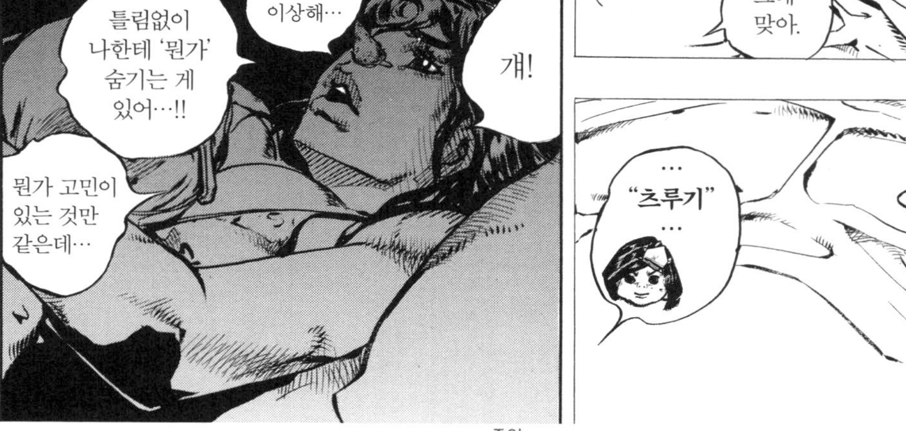
그래 맞아.
… "츠루기" …
역시… 그때부터 좀 이상해…
개!
틀림없이 나한테 '뭔가' 숨기는 게 있어…!!
뭔가 고민이 있는 것만 같은데…
중얼

……
……

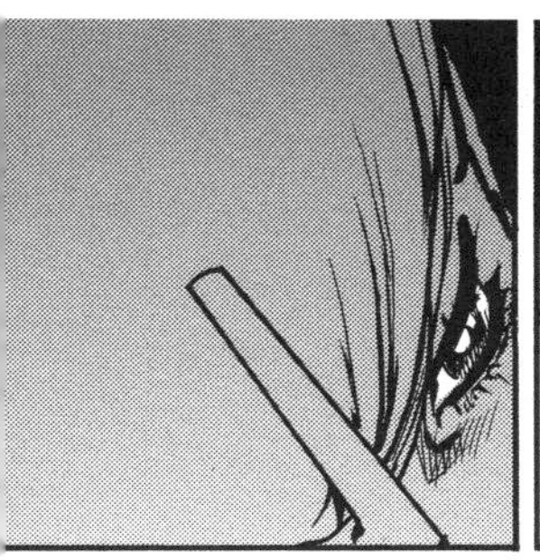

부스스

츠루기가 '숨기고 있다고'?
'뭔가'…
어제 학교에서 일이 있었잖아… "츠루기" 개!
확실히 좀 이상해. 숨기는 게 있대도.

아아… 그쪽 얘기였군.

그쪽?!

아니 … 아무것도 아냐.
학교 철문에 미나짱이 낀 게 '츠루기'의 짓이라고 누가 모함했다는 웃기지도 않은 얘기 말이지?
당신은 어떻게 생각해?

… 어떻게 생각 하냐니 …

당연한 거 아냐…!
츠루기를 지켜야지…
학교 인간들, 죄다 열받아…
악역과 희생양이 필요하니까 죄다 정황만 갖고 일방적으로 단정짓고 있어.
개떡 같은 인간들이야.
하지만 …
하지만?
하지만 뭐?
어제… 내가 그 얘기는 안 했지만…
다 같이 야외 활동을 갔을 때 미나짱이 '츠루기'를 모욕했대.
'츠루기'한테 해선 안 될 말로…
모욕을.
……
카토 할머니는 '아동 살인범' 이고
'츠루기'는 그 손자 라고…
시비를 걸었대.

……
……

…사실이라면…
'츠루기'한테
동기는 있어.

이 세상에는
'운'과 '불운'이
있다.

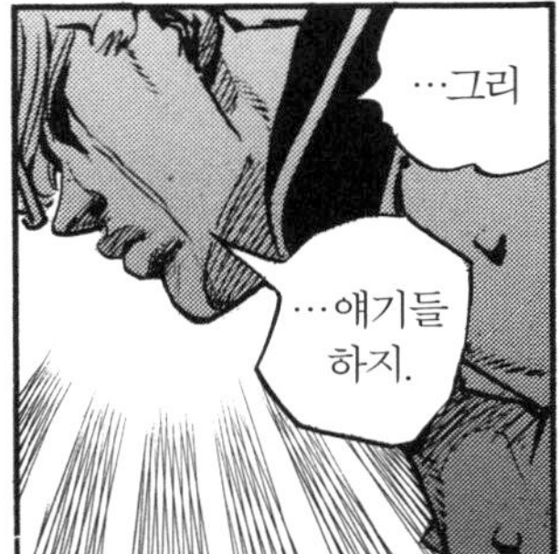
…그리
…얘기들
하지.

만약 그때 1초만 빨랐더라면… '사고를 당했을 것' 이라든가 '사고를 당하지 않았을 것' 이라든가…
혹은
그곳에 갔더라면 소중한 사람을 '만날 수 있었을 것'이라든가 '만날 수 없었을 것'이라든가…
결과적으로
'좋았다'든가 '나빴다'든가,
원인이 '선'이라든가 '악'이라든가,
그런 것이 있다…고 얘기들을 해.

하지만 그건 착각이야.
인간이 한데 모여 생활함으로써 생겨난 사회의 '착각'이라고.
모든 허례허식을 버리고 단일한 개체의 인간 대 인간으로 마주할 때!…
…우리를 둘러싼!
그곳에 존재하는 것은

강해서 '살아남는 자'와 약해서 '절멸하는 자',
이 두 부류가 있을 뿐.

운이라느니 불운이라느니… 선이라느니 악이라느니… 합법 불법은 아무 상관도 없어.
단지… '강함'과 '약함' 뿐이지.

……
?
설령 기후나 시대가 변한다 해도

더욱 '강해지려'…

그뿐이야… '츠루기'는 그걸 잘 알고 있어.
히가시카타가의 장남으로서 '강함'을 손에 넣는다는 걸 이해하고 있는 거야.
게다가 '지금'! 히가시카타가는 더욱 '강해지려' 하고 있어.

…아무리 사회의 규범이나
법률이 바뀐다 해도
이 히가시카타가의 땅에 그 어떤 잔혹한 적이 쳐들어온다 해도
인정사정 봐주지 않아.
우리는 '강함'을 손에 넣을 거니까 말야.

난 알아.
츠루기는 그걸 이해하고 있어.
그러니 안심해. …'강함'이 있으니까, '츠루기'는 미나짱을 철문에 끼게 하지 않았어.
시비를 걸고 모욕했다는 정도의 시시한 동기론 그러지 않아.
츠루기는 그렇게 한가하지 않거든.
한가하지 않다고…

……
어라…?
…저기
저건…
어째서?
…
오오오오오오오오

오오오오오오
……
……

확
……
뭐지?
학교에서 본 철문 쪽 카메라에도 찍혀 있었어…
저긴 히가시카타가 부지 경계…?
오오오오오오

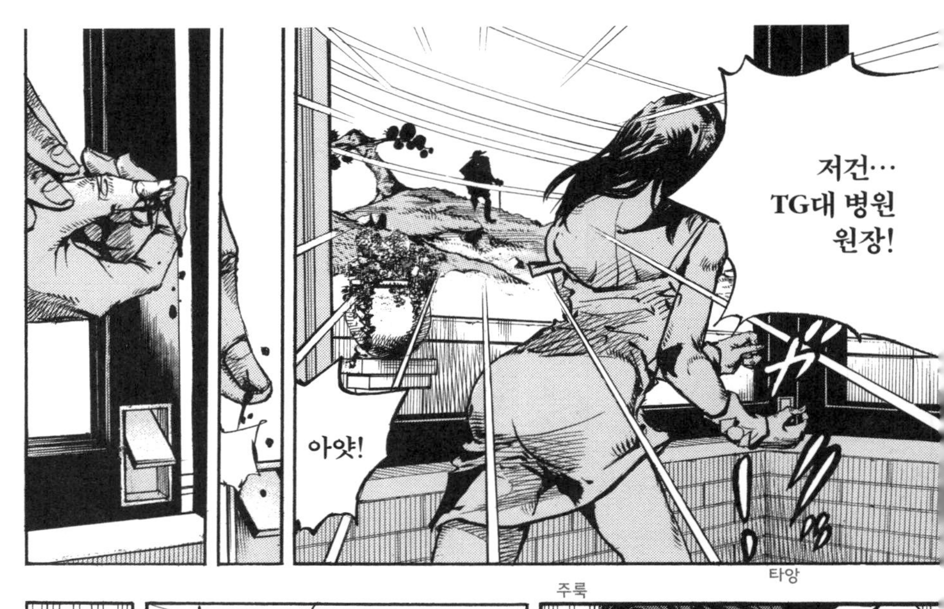
저건…
TG대 병원
원장!
아얏!
타앙
주륵

…
찢었어.
우웃!

앗?!

!?
…없어.
…방금
그건?!

방금
그
뒷모습은
…
왜지?
분명
'원장'이었어…
…전에 한 번
본 적 있어.
먼발치에서 힐끗
본 것뿐이지만.
하지만
병원
'연구실'…
로카카카
재배.
야스호 씨 일행은
로카카카의
'새로운 가지'가
있어서 그걸
찾고 있다고 했지.
'연구실' 입실
이력이 있는 건…
저 '원장'도
마찬가지야.

하지만 왜
학교 철문이나
히가시카타가의
부지에
와 있는 걸까?
뭘 하고
있었던 걸까?

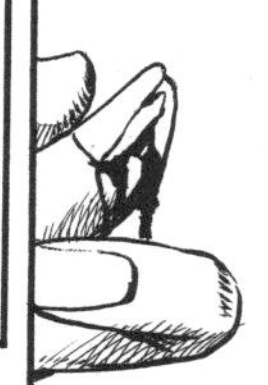

…저기… 여보…
반창고 있어?
창틀에 손가락을 찧는 바람에.

끼기기이이이

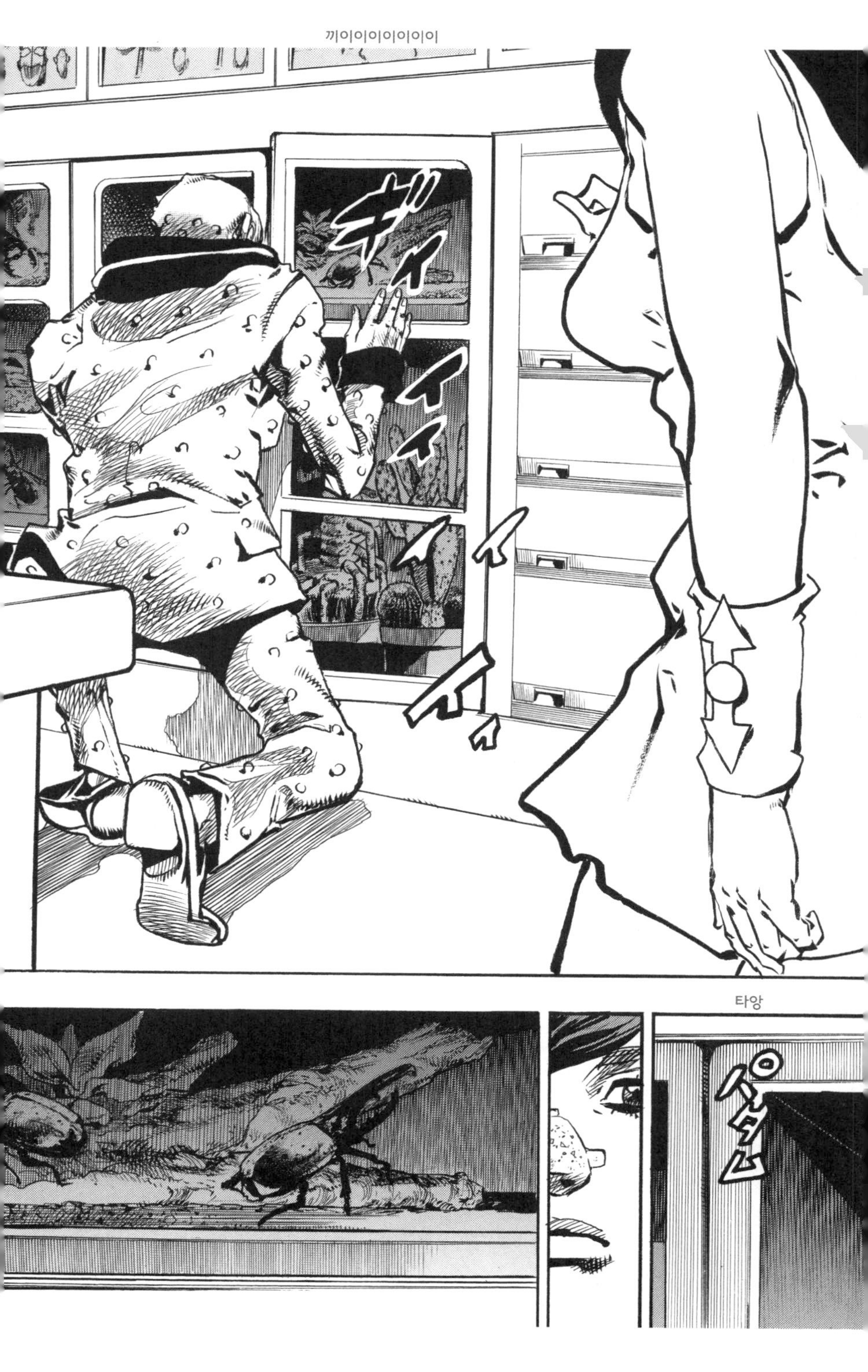
끼이이이이이이이
타앙

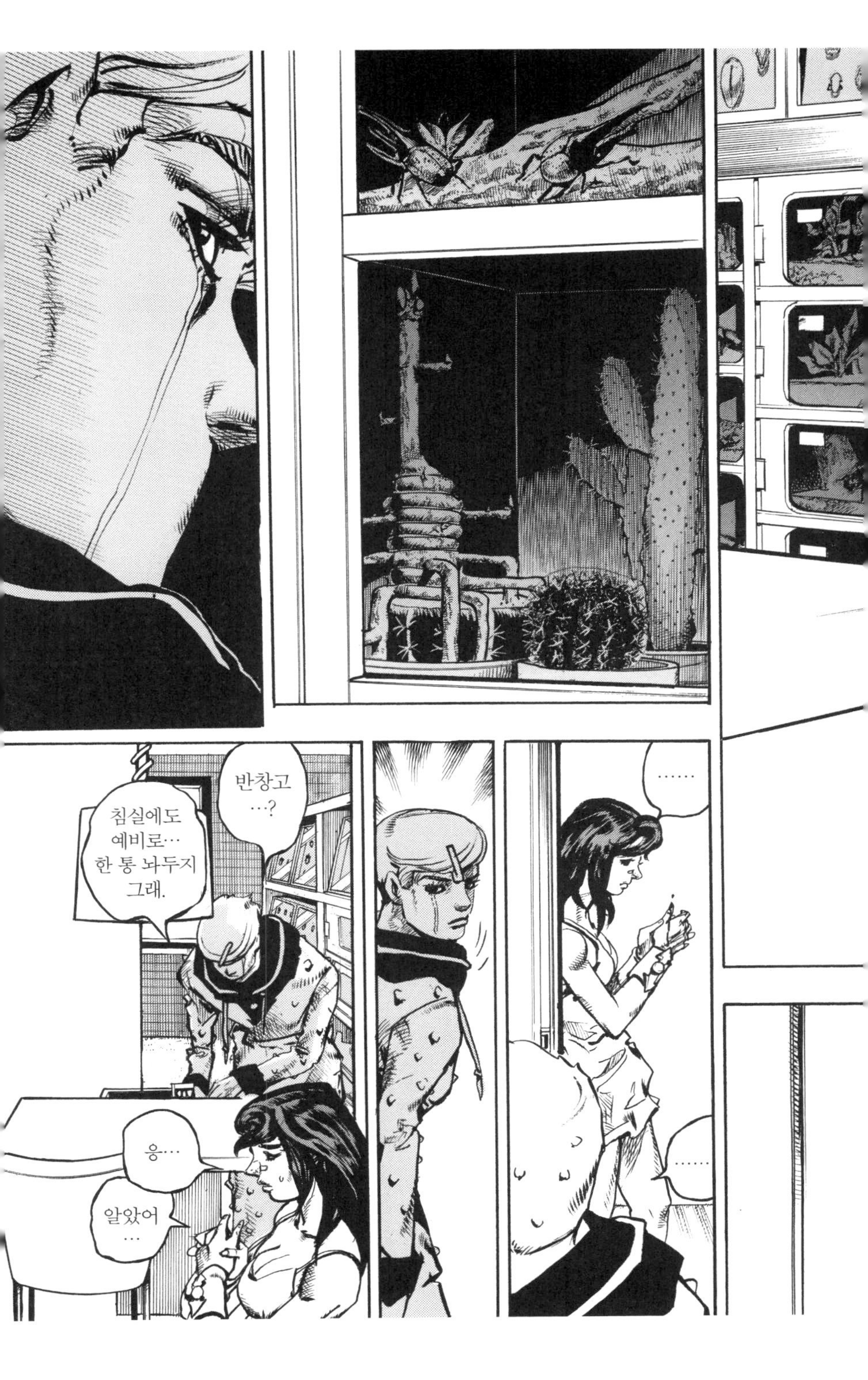
……
……
반창고
…?
침실에도
예비로…
한 통 놔두지
그래.
응…
알았어
…

그러게!
침실에도
놔둘게,
반창고.
고마워.
……
……
……
……
거기 서…
원장!
당신…
'바위 인간'
이지…?
이쪽을
봐!!
고고고고고
고고

타앗

아케후 사토루! 날 보라고!

큭!

카아아아아아아아앙

우웃!!
큭…… ……!!
유리문…
도도도도도도

야스호짱!!
이 문을
열어줘!
덜컥덜컥
도도도도도
뚜슈우우우웅
파앗

비척비척
비척비척
고오
우당타아아앙!
크윽
우웃
우당탕퉁탕 퉁탕 퉁탕

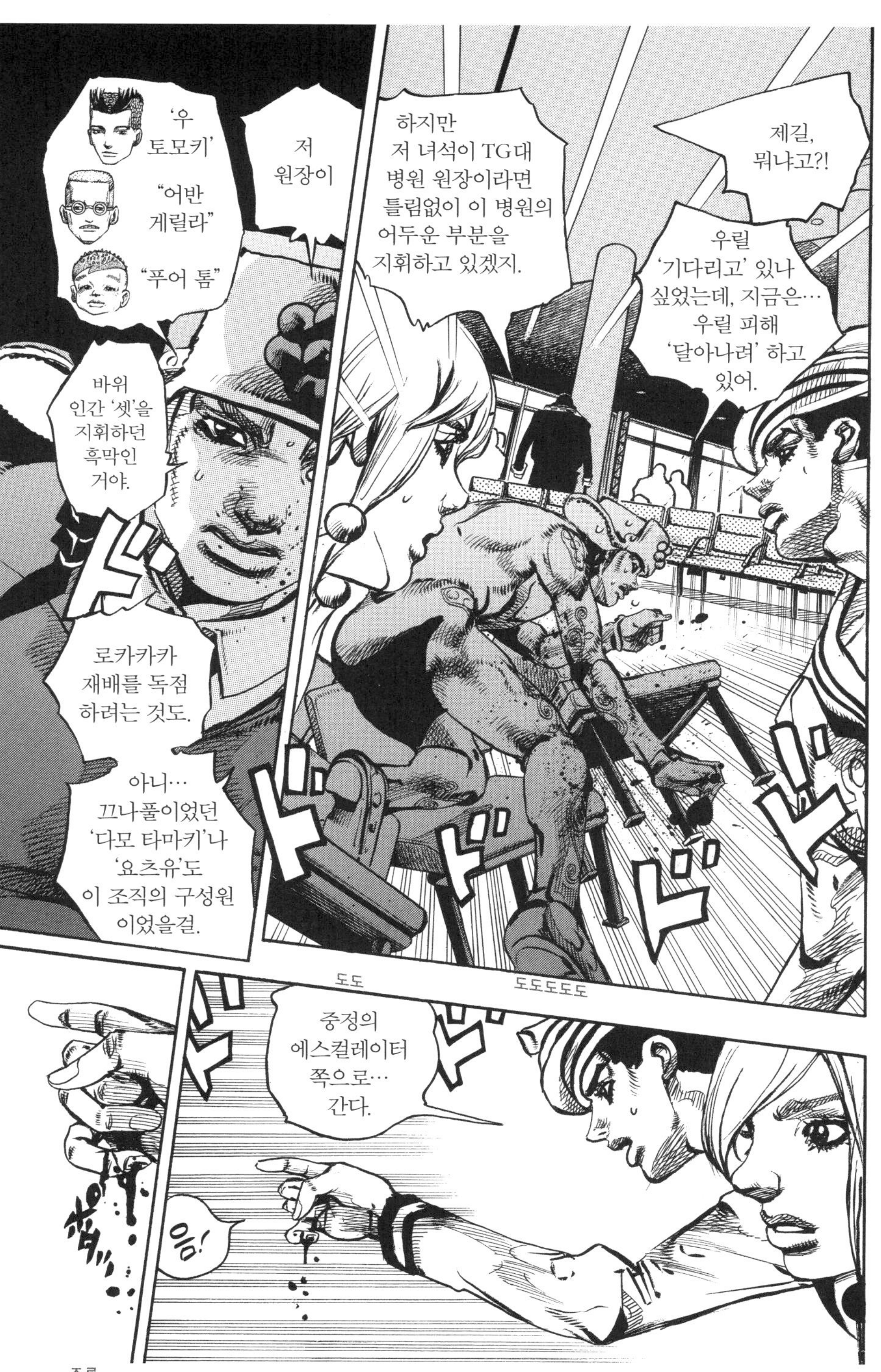
'우 토모키'
"어반 게릴라"
"푸어 톰"
저 원장이
바위 인간 '셋'을 지휘하던 흑막인 거야.
로카카카 재배를 독점 하려는 것도.
아니… 끄나풀이었던 '다모 타마키'나 '요츠유'도 이 조직의 구성원 이었을걸.
하지만 저 녀석이 TG대 병원 원장이라면 틀림없이 이 병원의 어두운 부분을 지휘하고 있겠지.
제길, 뭐냐고?!
우릴 '기다리고' 있나 싶었는데, 지금은… 우릴 피해 '달아나려' 하고 있어.
도도
도도도도도
중정의 에스컬레이터 쪽으로… 간다.
읍!
주룩

도도도도
저 원장은 '스탠드 유저'야, 틀림없어…
지금 '뭔가' 하려 하고 있지만… 우리도 녀석을 궁지로 몰았어… 거의 다 왔다.

원장의 '얼굴과 정체'!
그리고 '가지'의 위치를 확실하게 알아내는 거야!
우회해서 녀석을 포위하자.
도도도도도

두우우우우웅
난
로비 좌측!
죠스케,
야스호.
너희는
에스컬레이터
우측에서
협공한다.
도도도도도도

도도도도도도도
죠스케…
'토오루' 군…
이랑…
아까 말야.
헉
꽈
난데없이
나타
나서…
그리고… 혹시
죠스케가 뭔가 생각이
있어서 그런 얘길
한 거면 나… 토오루
군이랑은 아무
사이도 아냐.
원장을
'추적하는 걸
방해했다'고
했는데,
상관
없었네.
응…

ドドドド

옛날에 데이트하긴 했고 그때는 아주 좋아했지만
지금은 더이상 아무 감정도 없어.
지금은 '로카카카의 가지'를 찾고 싶어.

홀리 씨나 모두를 돕기 위해… 그리고 나 자신을 위해.

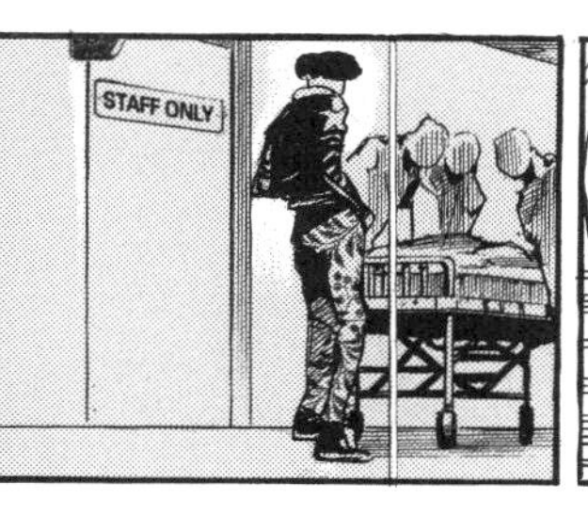
STAFF ONLY

절대로 야스호 짱을 의심하지 않아…

로카카카의 '가지'를 찾자.

응.

어라!!
마메즈쿠 씨,
이쪽이 아냐!
뒤쪽이야!
죠스케?
도도도도도도

뭣이?!
이미 입구를 지나 밖으로 나갔어!!!
이상… 해… 대체 언제…?
분명 포위하고 있었는데…
우오오!
크윽!
와장차아아앙

제길…
어떻게 된 거야?
우우…
진짜 89세 맞아…?
제길… …또다… 어딨지?
어디로 갔지?
어느샌가 입구 쪽으로 갔는데도 알아차리지 못했어…
우당탕퉁탕 퉁탕

입구에 카메라가 있네.
이 위와 여기로 이어지는 로비 안쪽에도.
녹화 데이터에 침입해 살펴 봐야지.
죠스케.
핸드폰! 봐봐.
카메라 1
파슈우우우
부오옹

비척비척
18초 전… 로비 안쪽 카메라.
카메라 2

마메즈쿠 씨의 뒷모습이야.
비척비척

이 시점에서 이미 원장은 등뒤를 지나고 있었어.
제길…
내 실수인 것처럼 말하지 말라고.
하지만 대체 언제…?!
얼굴이 보이지 않아.
확인할 수가 없어.

카메라 3
다른 각도의 카메라.
걷는 건 느릿해… 89세의 스피드야.
이 카메라도 틀렸어. 얼굴을 확인할 수가 없어.
카메라 1
그리고 그다음… 우리들…
원장은 어디로 갔지?
착신중
토오루 군
우-웅
우-웅 우-웅 우-웅

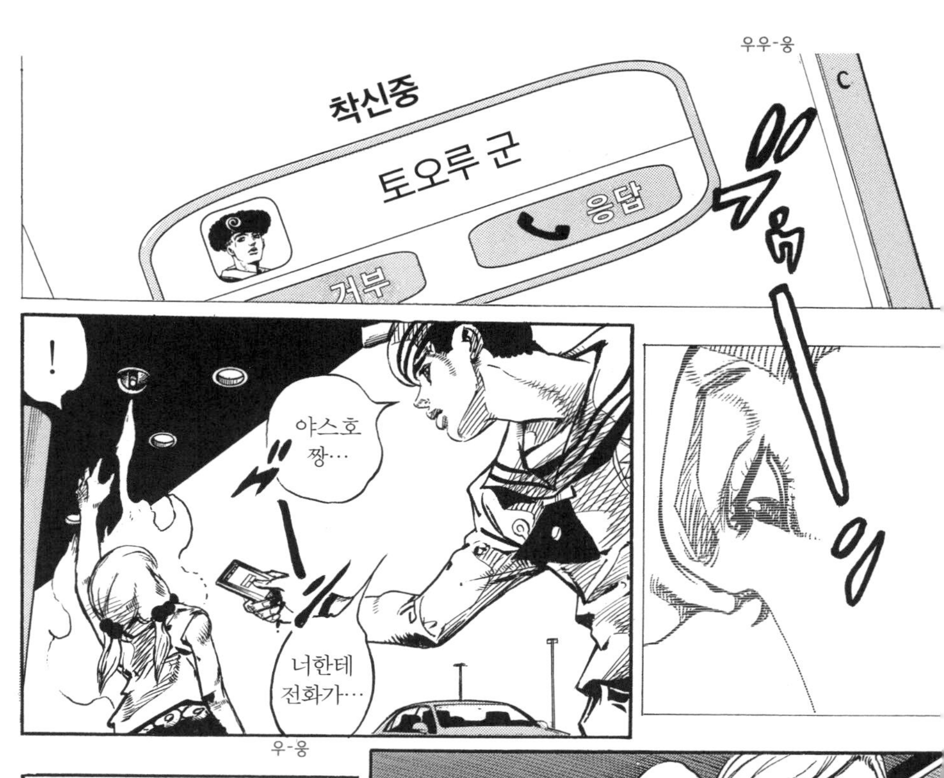
우우-웅
착신중
토오루 군
응답
거부
!
야스호 짱…
너한테 전화가…
우-웅

…왔는데.
기둥 위 우측 카메라를 살펴볼게.
처억
나중에 다시 걸게… 그보다
맞은편 위치의 카메라에는 찍혀 있지 않아.
원장은 입구로 나와 오른쪽으로 갔어.
……
우-웅

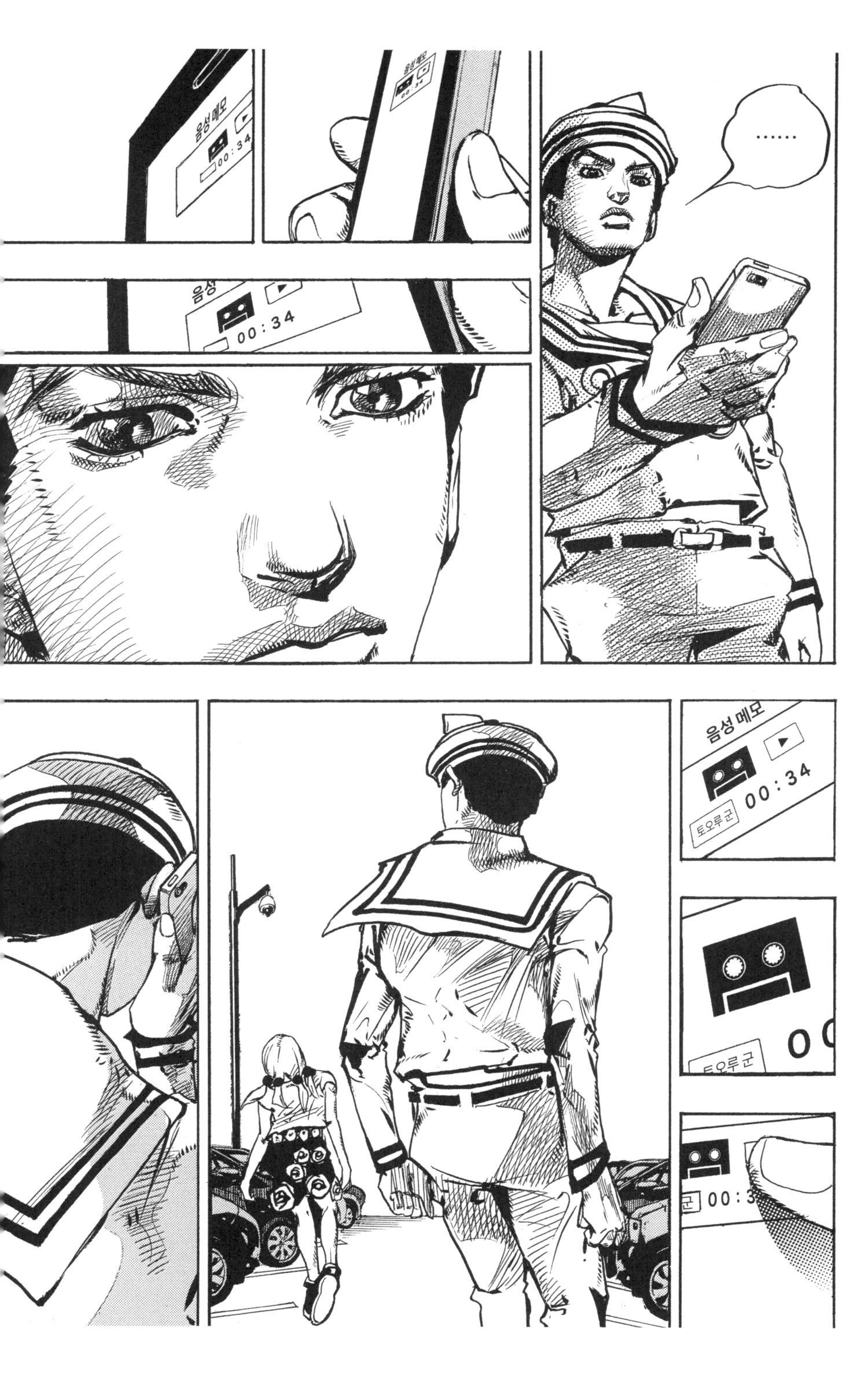
……
음성 메모
00:34
음성메모
00:34
음성 메모
00:34
토오루군
토오루군

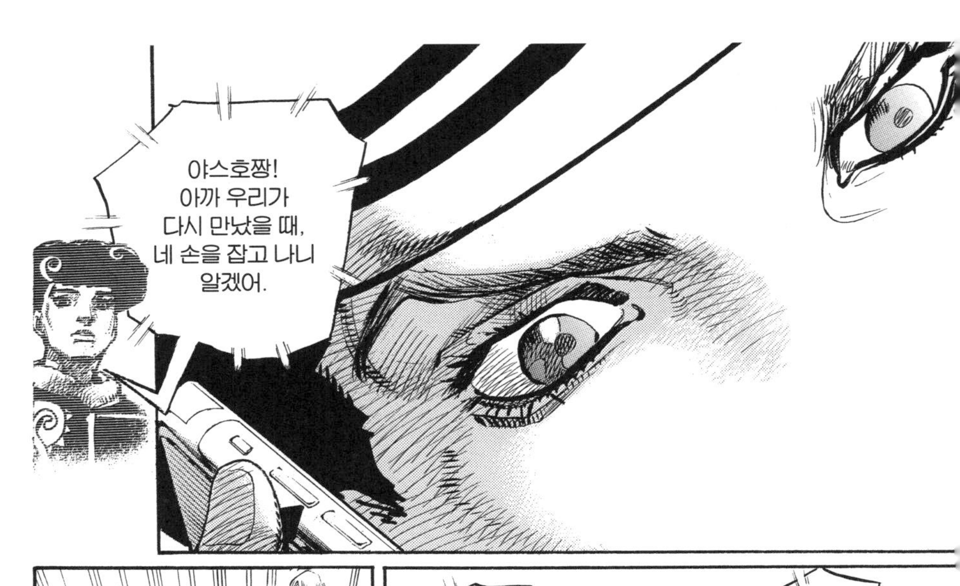
야스호짱!
아까 우리가
다시 만났을 때,
네 손을 잡고 나니
알겠어.

너도…
너도… 나처럼
느꼈을 거야.
같은 마음을…
야스호짱,
넌 아까
우리 사이가
어떻게
될 것인지?
앞으로 내가
어떻게 하고
싶은지?
확실히 마음을
정해 보여줬음
좋겠다고,
넌 그렇게
말했지.
옛날…
처음 만났을 때보다
더욱더 커진
이 마음을…
널 좋아해.

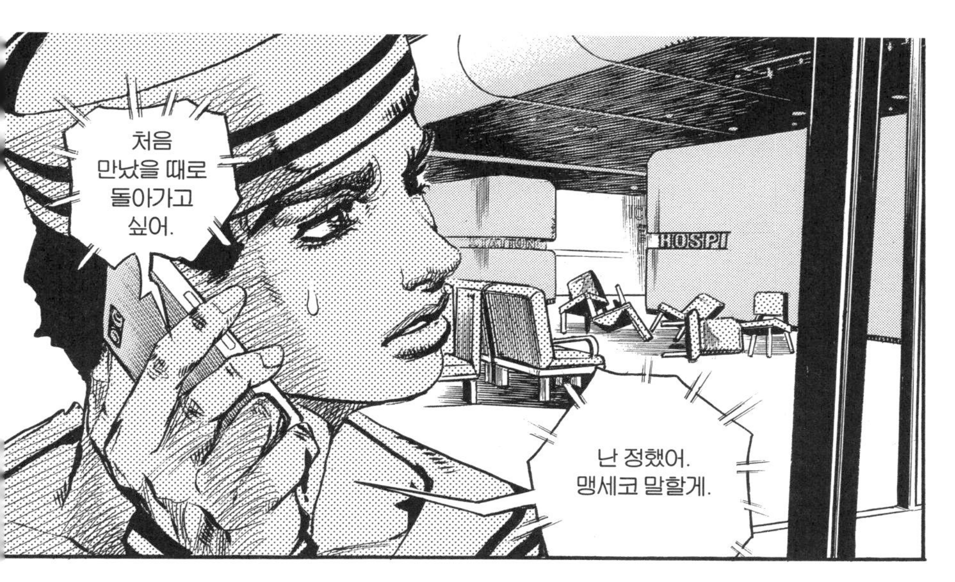
처음
만났을 때로
돌아가고
싶어.
STATION
HOSPI
난 정했어.
맹세코 말할게.

갤러리
STATION
HOSPI
1년 전… 내가 왜
널 떠났던 걸까…
진심으로
후회하고 있어.

일이 끝나면
네 쪽으로 갈게…
추억의 장소에서
만나자.
추억의
사진도
보냈어.
거기서
만나자.
PHOTO

IMG_0005.jpg
08/05 1:47

고고고
……
이상하다,
왜지.
이쪽
카메라에도
찍혀 있지
않아…
원장은
분명 밖으로
나왔어…
하지만
이쪽 방향이
아니야.
고고고
좀전에…
난
어딘가에
부딪혀서…
다리가 좀
걸렸을
뿐이야.
'우산꽂이'
…에.
고고

?
……

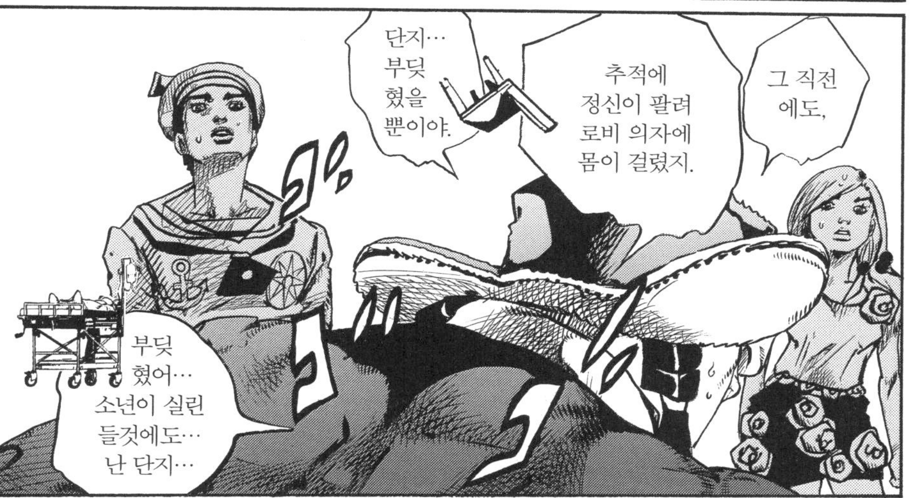
그 직전 에도,
추적에 정신이 팔려 로비 의자에 몸이 걸렸지.
단지… 부딪 혔을 뿐이야.
부딪 혔어… 소년이 실린 들것에도… 난 단지…
고고고

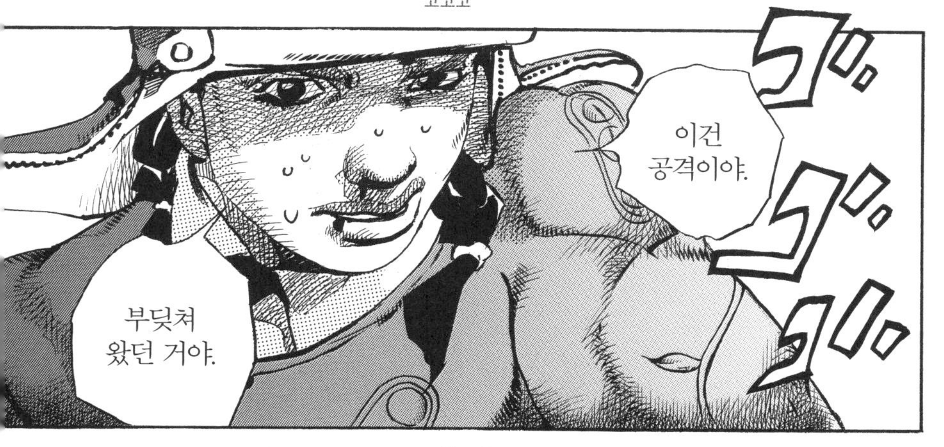
이건 공격이야.
부딪쳐 왔던 거야.

고고고고

아아
아아
아아
ドドドドド
도도도도도도

질질질 질질

마메즈쿠 씨!

아아아 아아아 아아아아

'뭔가'가 와 있었어…!!

죠스케가 '본 녀석' 일지도 몰라!

'뭔가'가 부딪쳐오는 공격이야.

둥

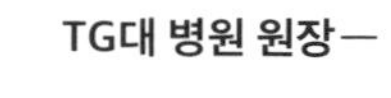

TG대 병원 원장—

아케후 사토루(89세)

얼굴을 확인하고 싶지만
왠지 따라잡을 수가 없다.
진짜 89세가 맞을까…

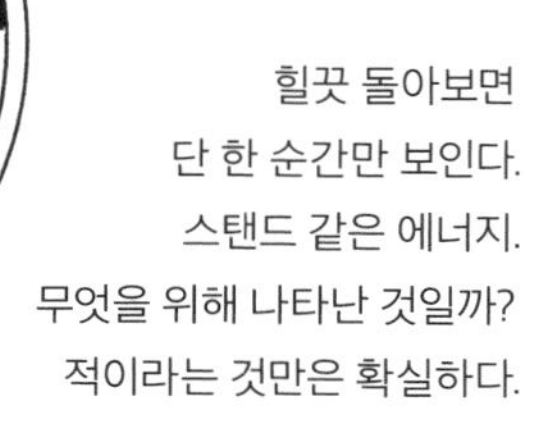

힐끗 돌아보면
단 한 순간만 보인다.
스탠드 같은 에너지.
무엇을 위해 나타난 것일까?
적이라는 것만은 확실하다.

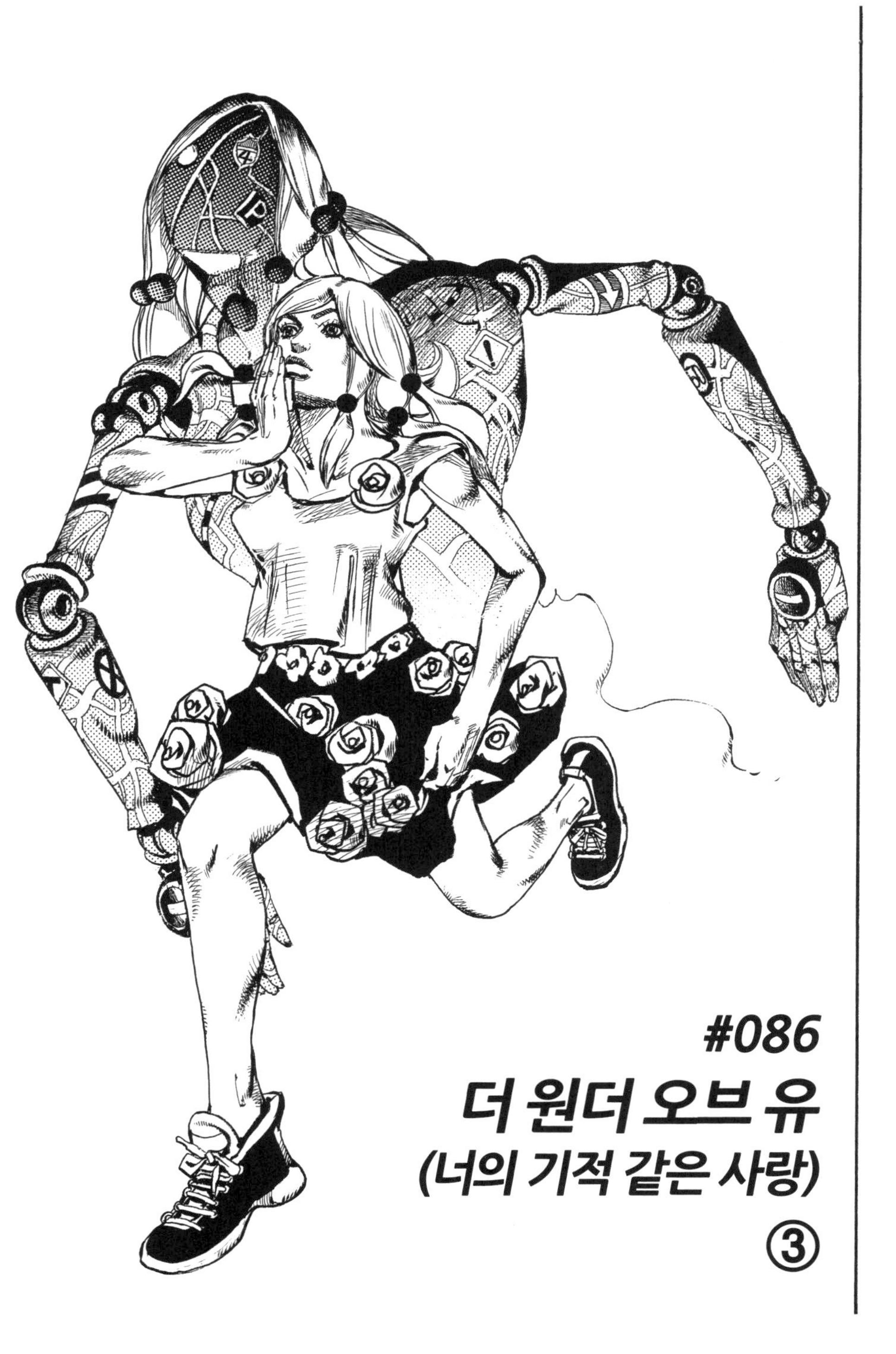
#086
더 원더 오브 유
(너의 기적 같은 사랑)
③

두웅

도도
도도
공격받고 있었던 건가!!
털썩어어억
제길!
"원장"은 어딨지?!
놈은 달아나는 척하면서
'뭔가'로 공격하고 있어!!
진짜 89세가 맞는 거냐고…!! 그 원장의 '정체'를 밝혀야 해!!

도도도도도
도도도도도도도

원장의
뒤를 쫓다가
난 또 자동문 뒤쪽
'우산
꽂이'에
부딪혀
쓰러졌지.
우린 추적에
정신이 팔려
있었어.
ICU의
'소년이 실린
들것'!
'로비의 의자'!

도도도

고고고
걸려 넘어진
시점에서
난 이 모든 사건을
단순히 우발적인
일로 여기며
"아무것도
아니라고"
생각했어…
그냥… 뛰다가
우산꽂이에
부딪힌 것
뿐이라고.

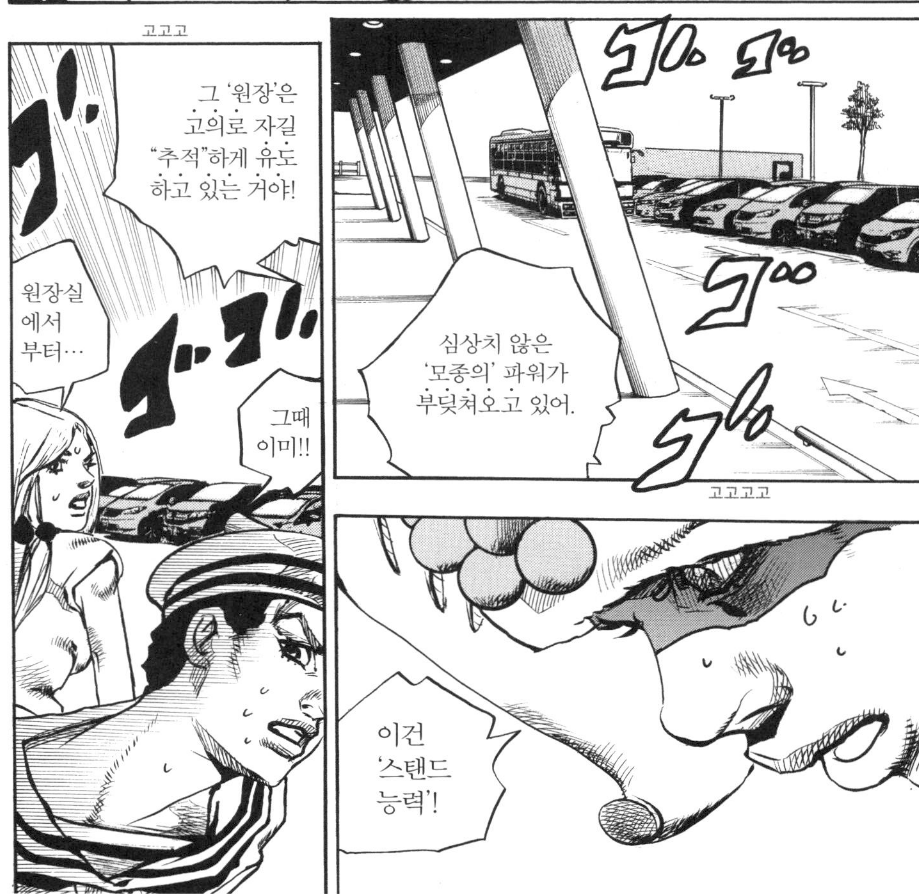
고고고
심상치 않은
'모종의' 파워가
부딪쳐오고 있어.
그 '원장'은
고의로 자길
"추적"하게 유도
하고 있는 거야!
원장실
에서
부터…
그때
이미!!
고고고고
이건
'스탠드
능력'!

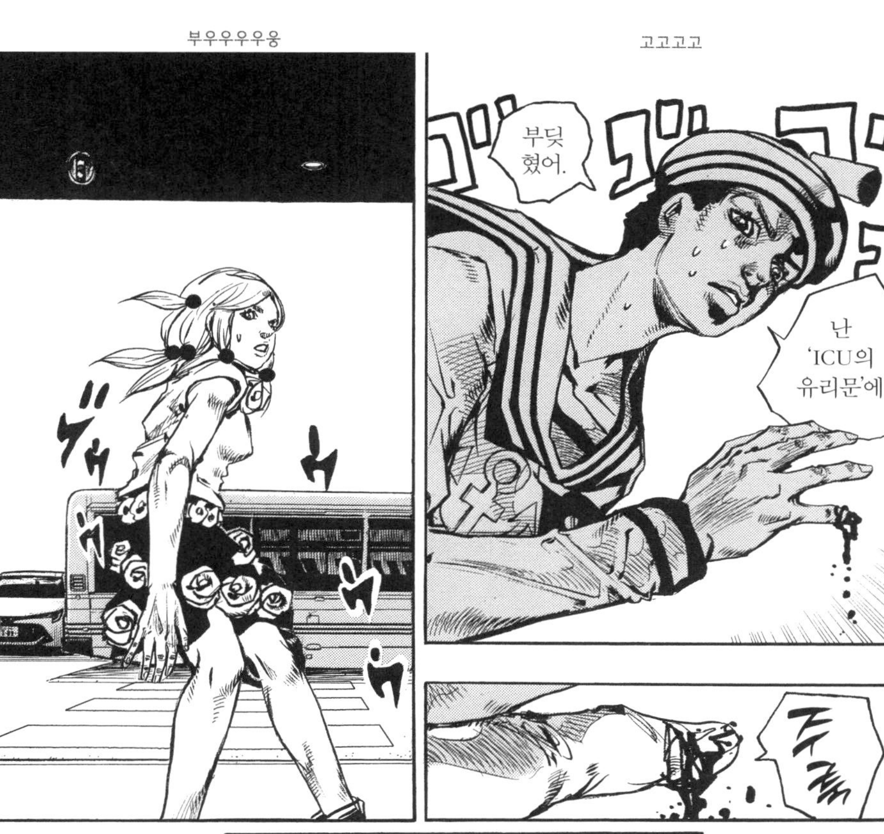
고고고고
부딪 혔어.
난 'ICU의 유리문'에
주룩
부우우우우웅

부아아아앙

부우아아앙
…죠스케.
저기
저건
저건…

원장 이야.
저 버스로 달아난다!
둘 다 쫓지 마!
쫓는 건 정체를 알아내고 난 다음이야! '쫓아가면' 부딪쳐올 거야!
마메즈쿠 씨… '뭐가' 부딪쳐오는 건데?
그러니까, 뭔가라고!

푸확 푸확

질질질질
죠스케!
네가 계단에서 '봤다'고 한 스탠드의 모습을 나도 한순간!
우산 꽂이 위에서 '봤어'!
놈은 또다시 "추적"을 유도하고 있는 거야.
"추적"이 스위치다! 저 원장의 '정체'를 알아낼 때까진
"추적"은 위험한 리스크일 뿐이야!
고고고고고
지금… 이때!…
그 정체를 알아내야 해…
부우우웅
원장은 버스 안에서 이쪽을 보고 있었어.
부웅

파앗
원장의 정보는 달리 아무 데도 없어. 실제로는 몇 살인지조차 알 수 없다고!!
최소한 '얼굴'이라도 확인해야 해!
이 시점에서 놓치면!!
잠깐!
우…
야스호 짱!!
우우우…
두-웅

고오오오오오오
274
STOP

ゴゴゴ
제…
제길.
ヨロ
ヨロ
ヨロ
비틀비틀 비틀
죠스케, 창문 안쪽을 봐. 저기 있어!
저 앞은 게이트야!
저기서 버스가 감속하다가 일시 정지해!

두우우우우웅

파앗!
헉!
팟

고오오오
푸욱
!!
우웃! 우아아 아앗!
야스호 짱!

꿀럭 꿀럭 꿀럭

'중지'해! '쫓는 것' 만으로도 위험해!
'뭔가'가 부딪쳐와!!
역시 놈은 마메즈쿠 씨의 예측대로야!!

죠스케…
어… 얼굴이다…

조
보…
보인다.
조금만
더…

조금만
더!

조금만
더 가면
얼굴이!!
안 돼,
지금은
쫓지 마!!

홱

돌아봤어!!

투콰아앙!!
이…
이럴
수가.

콱

부아아아앙

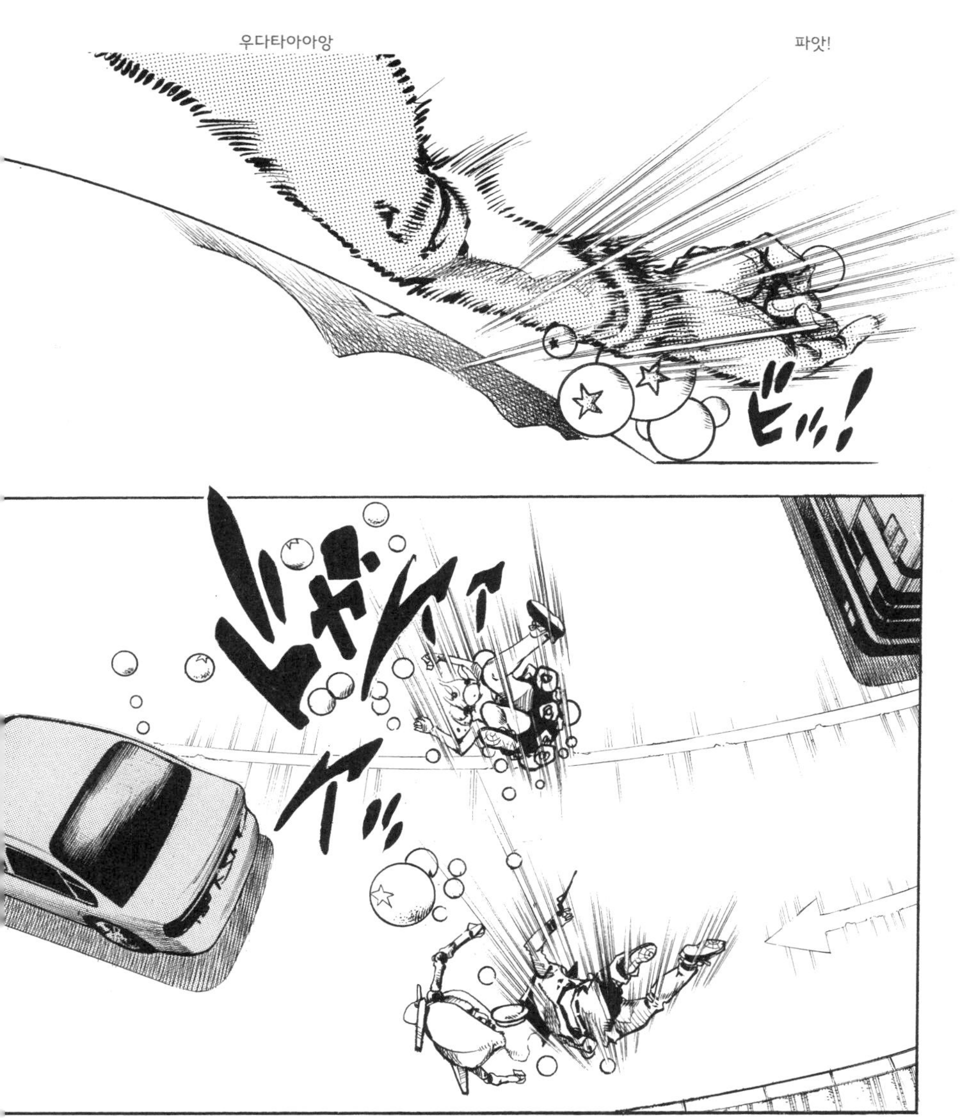
우다타아아앙
파앗!

사뿐

파앙 파앙 파앙

허억 허억 허억 허억 허억

부릉 부르릉 부르릉 부르릉
쫓으면…
공격해와.
허억
허억
허억
허억
허억
야스호 짱!
괜찮아? 차에 부딪혔어?
나… 난,
괘… 괜찮아!!
죠스케, 그…그러는 넌 괜찮아?

죠스케…
다행이다…
죠스케! 너도 방금… 차와 충돌한 거냐?
차나 버스와 접촉하지 않았어?
내 경우에는
'뭔가'의 공격이 올 때까지 시간 차가 있었지!
하지만 아직 '뭔지'는 보이지 않아!!

부릉 부릉부릉
부릉 부릉
예측 불가능한 공격 방향이야!
오른손의 이 피는 방금 전 게 아냐.
부우우웅
차와는 접촉하지 않았어.
난 괜찮아.
지금은!
더이상 놈을 쫓지 마.
도도도도

퉤 퉤 퉤
입안에
들어 갔잖아 —…!!
뭐냐고 이 세일러복 자식…
너희가 괜찮은지 어떤진 내 알 바 아냐.
내 얼굴 앞에서 그 피에 젖은 손을! 달려가면서 휘둘렀겠다!

너한테 하는 말이야!! 세일러복!
내 입안에 들어갔다고!
퉤 퉤
너~~~~ 무슨 병으로 이 병원에 온 거야!!

!!
헉

짜샤아——!

이상해… 설마.

불쑥
어딜 도망가──! '위자료'랑 '치료비'를 내놓지 못해?
죠스케! 접근 못 하게 해, 그 녀석한테서 떨어져!
스윽…
덥석

뽀각

털썩

?
……
……
우웃
여기 TG대 병원 주차장인데요.
여보세요.
여보세요.
이… 게…
뭐야…?
죠스케.
큰일이다…
슬슬 좀 알 것도 같군.
뭐냐고…
설마! 무슨 일이… 일어난 거지?

도도도도도도도도

아냐!!
이게 무슨 일이냐고?!
당신 괜찮아?!
난!!

죠스케! 그 녀석과 접촉하면 안 돼!
아무것도 하지 마!!
그 녀석은 이미 죽었을 거야!

뭐라고?!

우리가 원장을 추적했기 때문에!!
너로부터 그 녀석을 향해 '뭔가'가 튕긴 거야!
그것도 '격돌'이야!
공격의 방향과 형태를 우리는 알아차리지 못해!…
그런 "공격"이야!
…안 되겠다… 일단 여길 뜨자.
죠스케는… 아무것도 하지 않았는데.
지켜 줬는데!
찰칵
도도도도도도도

죠스케는
날 지켜준 것
뿐인데!
모두 사람
좋아
보이니…
언젠간
믿어줄지도
모르지.
…하지만
여기 계속
있다간
경찰이 출동해
죠스케를
구속할걸.
딴
사람들에게도
그렇게
호소해보든가
…
부정할수록
구속이
길어지겠지.
신 로카카카의
수확까지
앞으로 6일.
그 사이에
열매가
다 자라버리는
수 있어.

그… '원장'을 무슨 일이 있어도 쓰러뜨려야 해.
하지만 어떻게? 가능할지…!!
지금은 알 수 없어…
쟈스케 …
뿔뿔이 흩어지는 거야?
우리…
야스호, 나중에 네 쪽에서 우릴 찾아와!
알겠지!
야스호 짱…
왜앵- 왜앵- 왜앵- 왜앵- 왜앵- 왜앵- 왜앵- 왜앵-

도도도도도도도도

도도도

야스호짱.
…
괜찮아?

ドドドド

토오루 군…!!
전화했지? 걱정돼서 왔어.

방금… 봤어. 넌 괜찮은 거야?
죠스케 군 이었던가? 어디로 달아났나 보네?
앗! 아냐!!

죠스케는 저 사람을 건드리지도 않았어!

왜앵- 왜앵-

게다가 불행히도 아파서 치료중이던 목이 부러졌지.
죠스케 군은 아무것도 안 했어.
그렇게 증언 할게.

그러니까, 나도 알아…
멀리서나마 봤거든…
저 담배를 피던 남자는 죠스케 군에게 다가가다 제풀에 넘어졌어.

증언.
뭣보다 네가 걱정이야.
쭉 곁에 있어주고 싶어.

토오루 군… 정말로?! 증언해줄 거야?
그게 진실 이잖아.

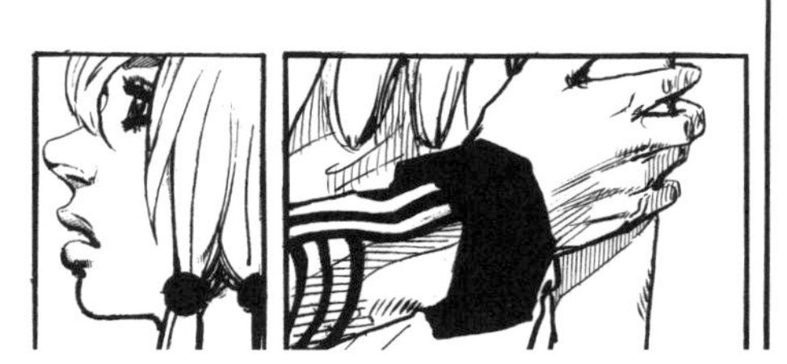

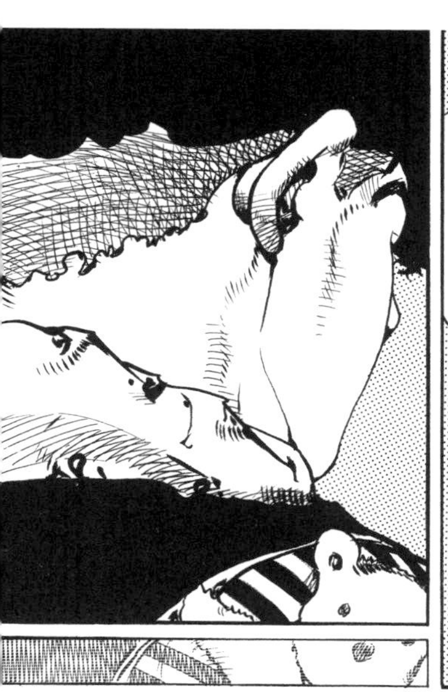

신 로카카카 열매 — 수확까지
【5일 1시간 05분】

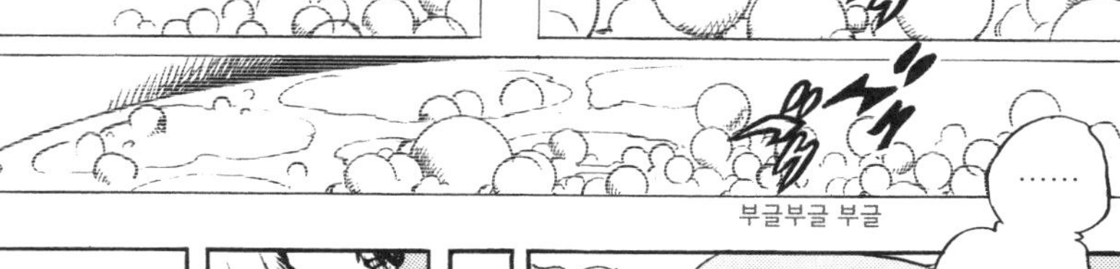

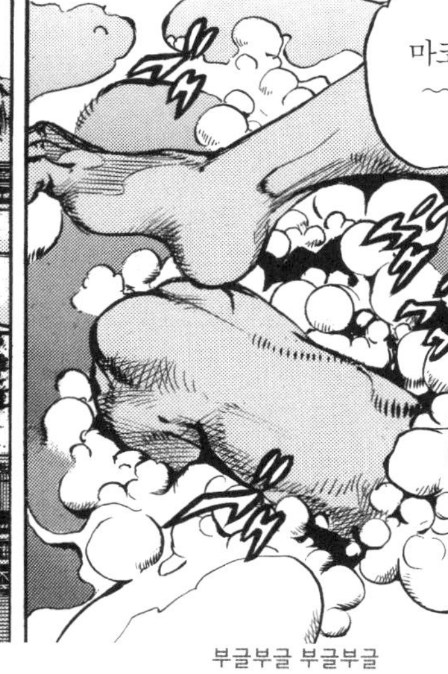

두우우우우우우웅

같이 스파 하자~~
혼자면 외롭잖아 ~~~
화장이 지워지니까 오늘은 안 돼~~

맨션엔 자료를 가지러 온 것뿐이야.

재미 없게. 그럼 마코리 ~잉.
한 잔 더 따라 주라~~

하여간 ~~~
응석꾸러기 라니까~~

슬쩍!

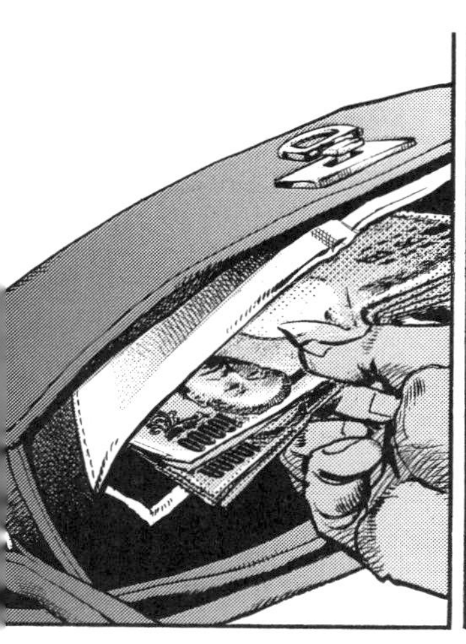

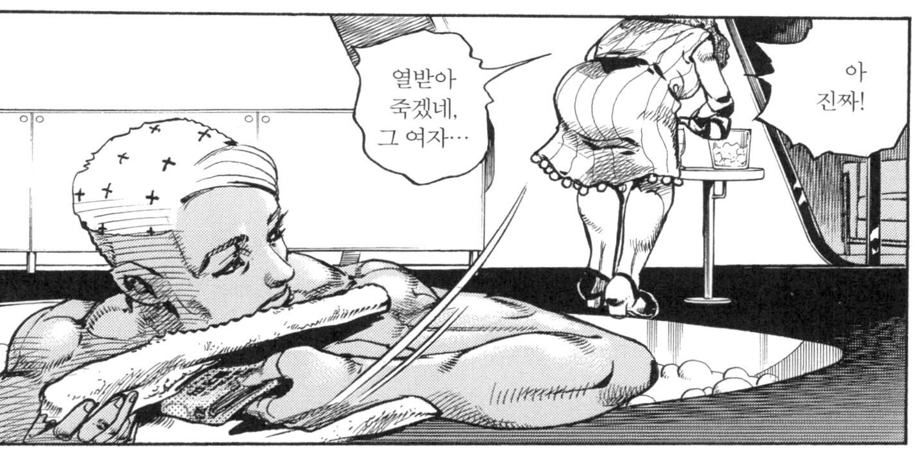
아 진짜!
열받아 죽겠네, 그 여자…

부글부글 부글

그 여자 콱… 죽여버리고 싶다니까… ‘미츠바’ 말야.
“히가시카타 미츠바”…
뭐 그딴 년이 다 있어…?

학교에서…
사람들 앞에서…
날 모욕했다고.
'족발'이라고
했겠다?
'이 족발을
치우란 말야'
라고 했어.

족발?

손!
이렇게 귀여운
내 '손'을
갖다가 글쎄!
아아,
그래,
족발.

저기
저 땅…
이야…
저 일대…
항구.
해안에서부터
솟아오르는
구릉지대.
굉장히 좋은
지형인데다
가치 있는
땅이지.

'히가시 카타가'의 땅.
빼꼼

애당초 내가 왜 그 히가시카타가의 '노리스케' 영감탱이랑 친하게 지내냐 하면
저 근사한 땅 때문… 이야.
그런데 우씨이이이 ——! 그 망할 년!
며느리 주제에 제 시아버지랑 친한 나한테 감히! 진짜 열받아 미치겠네!
쾅 쾅
자기는 화가 나면 참 귀엽단 말야아—
마코 리—잉.

…이 일대에 '카지노'를 세우면 틀림없이 최고일 텐데. 고급 별장지인데다 항구! 역!
인근에는 쇼핑몰까지.
과수원 따위로 쓰는 것보다 경제 효과가 얼마나 크겠냔 말야.
"히가시카타가"…
대대로 이어져오는 일족이니 분명 '뭔가' '문제'를 품고 있을 거야.
과수원이 화재로 불타버려 다소 힘이 빠졌을지도 모르고.

내가 또 워낙 사교적이잖아! 좋은 기회였어…

때마침 학교에서 일어난 이번 '츠루기 사건'!
미나짱을 철문으로 다치게 한 범인이 '누군지' 나로선 알 바 아냐.

내가 노리스케한테 '파고들어' '뭐 괜찮은 건수'가 없는지 이것저것 캐볼 생각이었는데
"미츠바" 그 망할 년이!!
울지마~
날 모욕하고 그걸 방해했다니까아 ——!
뭐,
장남인 '죠빈'이 어렸을 때 자기 난치병을 치료하기 위해 동급생을 죽였다는 소문은 꽤 재밌지만서도 …
있잖아, 마코링 …
이 테라스는 경치가 최고잖아.
자기는 맨션도, 구단도 갖고 있는데…
세이텐 버디즈의 오너가 아직도 갖고 싶은 게 더 있는 거야…?

그러니까 저 구릉지대가 갖고 싶대도.
이 맨션이나 스타디움 부지는 사실 좋은 땅이 아냐.
지반이 취약하거든. 법의 허점을 이용해 아슬아슬하게 건축 허가를 따내긴 했지만서도.
벽의 눈 너머는 대지진에도 전혀 끄떡없었어.
쓰나미도 거기서 멈췄고.
그 땅을 '히가시카타가'가 갖고 있어.

그 뭐냐—
'난치병' 이라고 했나?

난치병 때문에 동급생을 죽였다는 그거… 무슨 얘기야?

그 '벽의 눈' 일대 어딘가에 병을 치료하는 땅이 있다나…
애들 사이에 도는 괴담 같은 거.
그러니까 그냥 '소문' 이야아아.

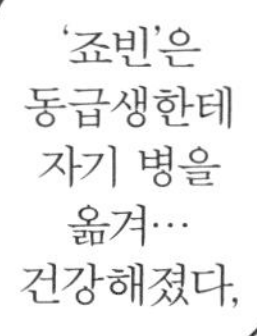

땅에 묻어 교환시켜 치료하는 거래.
'죠빈'은 동급생한테 자기 병을 옮겨… 건강해졌다,
동급생을 죽여 병을 교환 시켰다는 소문이 있어.

앗… 어떡해, 벌써 시간이!

딸아이 데리러 학교 가야 해.
다음에 느긋이 같이 스파하며 좋은 거 하자?

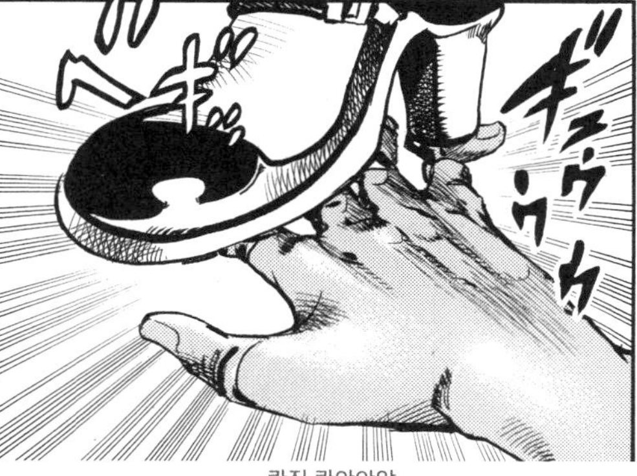
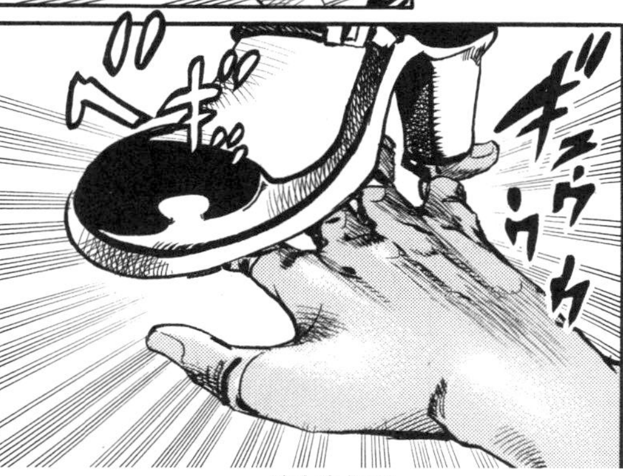
콰직 콰아아악

아아앗,
오지로짱!!
미안해…
손가락!

새로
사줄게…
용서해줘.
더 좋은
걸로~~~!
괜찮아아아…
이까짓 거,
아무렇지도
않아…
마코리~~잉.
자긴 늘
'안 끼운 게'
더 좋다고
말해
주잖아—
그런데
마코링…
그 난치병
'소문'
이라는 거
말야~~~
소문…

후둑 후둑 후둑

옛날에 같이 서핑하던 친구가 있었는데,
…지금은 죽었지만.
그 "선의船醫"가 나한테 그런 얘길 한 적 있거든.
'등가 교환' 얘긴가?

하지만 땅이 아니라 '과일' 얘기였던 것 같은데.

21 더 원더 오브 유 마침

아 라 키 히 로 히 코 유 니 버 스

죠죠의 기묘한 모험 (1~5부) 전63권

『죠죠의 기묘한 모험』 1~5부.
1987년부터 연재중! 1억 부의 누적 발행부수! '스탠드' 개념을 도입해
능력배틀물의 원조가 되었고, 단순한 힘겨루기에 그쳤던 종전 만화에 두뇌싸움과
트릭 등 다양한 요소를 도입해 소년만화의 새로운 지평을 연 전설의 만화!

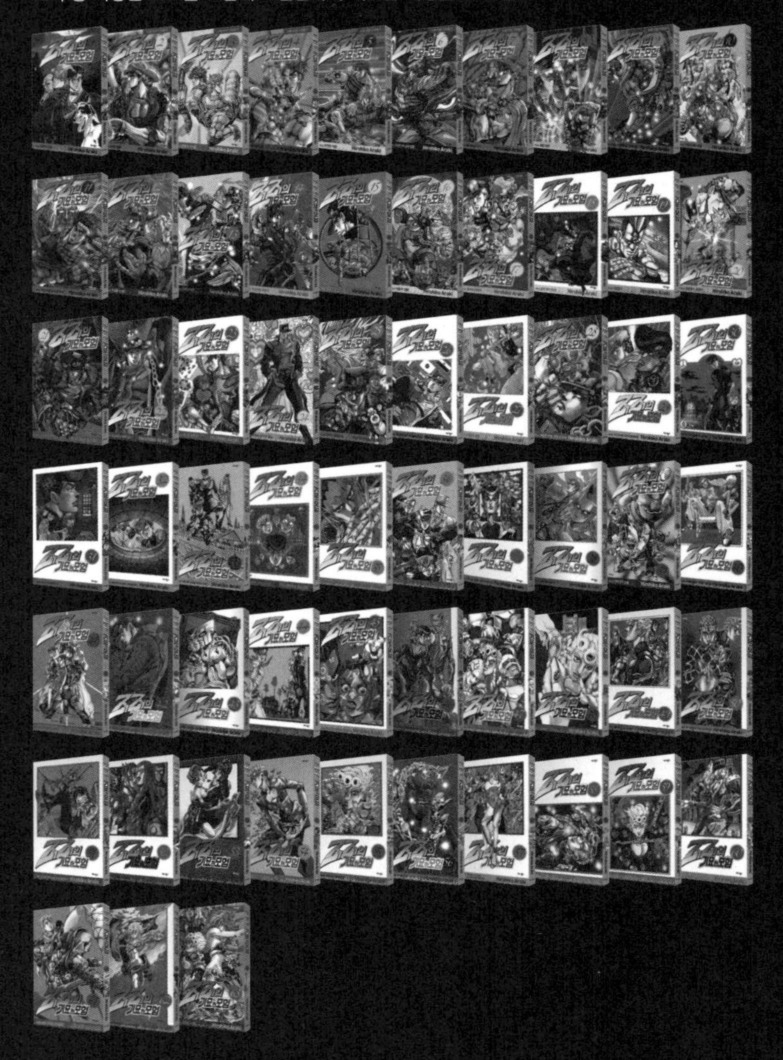

스톤 오션 (6부) 전17권

『죠죠의 기묘한 모험』 6부.
남자친구와 드라이브 도중 교통사고에 휘말린 쿠조 죠린은
누군가의 모함으로 징역 15년 형이 확정되고 만다.
한편 아버지 쿠조 죠타로가 맡긴 불가사의한 펜던트에 손을 찔리자
죠린에게 알 수 없는 변화가 일어나기 시작하는데…!

스틸 볼 런 (7부) 전24권

『죠죠의 기묘한 모험』 7부.
때는 1890년, 미국에서 세기의 레이스 'SBR'이 개최된다.
총 거리 약 6,000km에 이르는 인류 역사상 첫 북미대륙 횡단 승마 레이스!
불행한 사고로 하반신이 마비된 천재 기수 죠니 죠스타와
회전하는 철구를 무기로 가진 의문의 사나이, 자이로 체펠리.
우승상금 5천만 달러를 목표로, 뜨거운 모험가들의 싸움이 지금 시작된다!

옮긴이 **김동욱**

홍익대학교 출신. 게임 및 IT 기술 번역으로 2000년대 초 번역과 연을 맺었다.
이후 애니메이터 등 다방면으로 서브컬처 업계에 종사하다가 출판번역에 입문하여
현재는 전업 번역가로 활동하고 있다. 옮긴 책으로는 『스톤 오션』『스틸 볼 런』 등이 있다.

죠죠의 기묘한 모험 Part 8

죠죠리온

제21권 더 원더 오브 유

초판인쇄 2025년 3월 21일
초판발행 2025년 3월 28일

지은이 아라키 히로히코
옮긴이 김동욱

책임편집 조시은
편집 김지애 이보은 김지아 김해인
디자인 백주영
마케팅 정민호 서지화 한민아 이민경 왕지경 정유진
정경주 김수인 김혜원 김예진 나현후 이서진
브랜딩 함유지 박민재 이송이 김희숙 박다솔 조다현 김하연 이준희
제작 강신은 김동욱 이순호
원화수정 윤정아

펴낸곳 ㈜문학동네
펴낸이 김소영
출판등록 1993년 10월 22일 제2003-000045호
주소 10881 경기도 파주시 회동길 210
전자우편 comics@munhak.com
대표전화 031-955-8888 | 팩스 031-955-8855

ISBN 979-11-416-0922-1 07830
978-89-546-8211-4 (세트)

인스타그램 @mundongcomics
트위터 @mundongcomics
페이스북 facebook.com/mundongcomics
카페 cafe.naver.com/mundongcomics
북클럽문학동네 bookclubmunhak.com

www.munhak.com